CB045242

A GANGUE ESCARLATE DE ASAKUSA

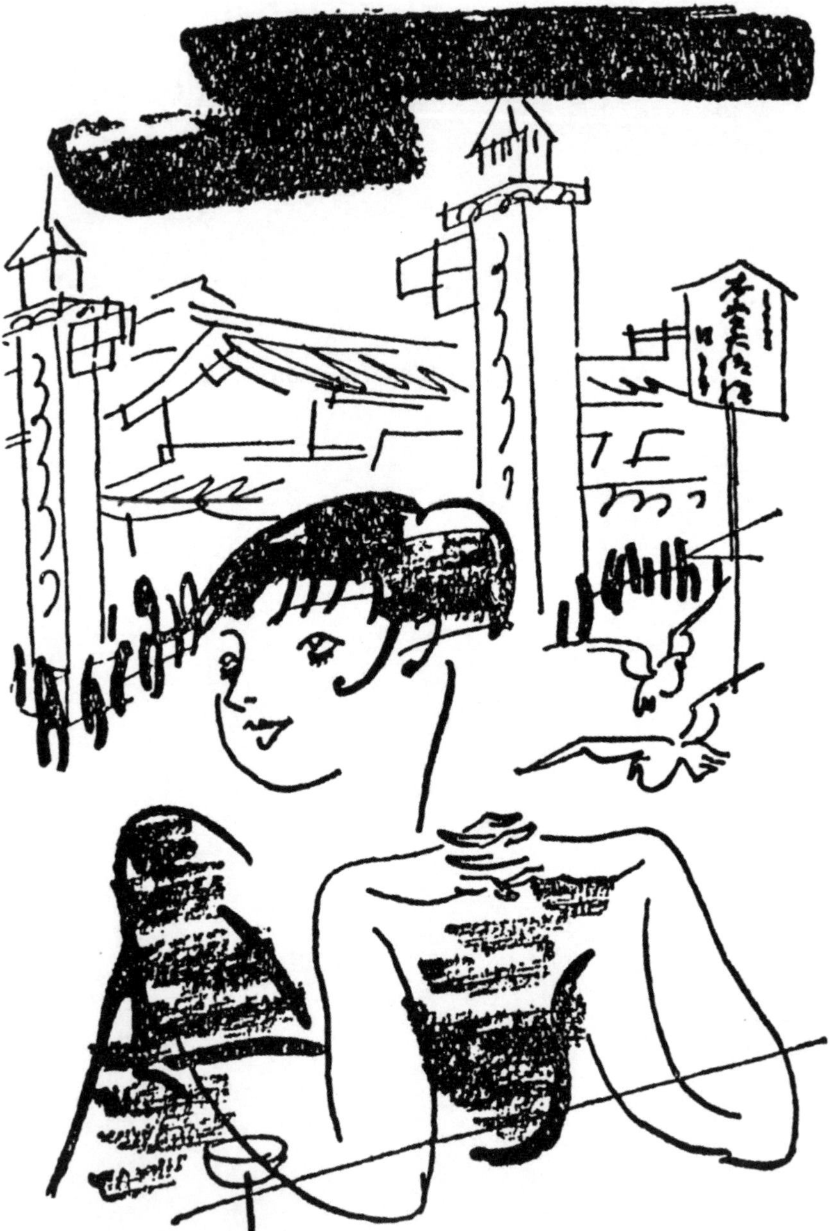

Yasunari Kawabata

A GANGUE ESCARLATE DE ASAKUSA

tradução do japonês e notas
Meiko Shimon

2ª edição

Asakusa kurenaidan
© Herdeiros de Yasunari Kawabata, 1954
© Editora Estação Liberdade, 2013, para esta tradução
As ilustrações de Ota Saburo (1884-1969) às páginas 4 e 224 foram extraídas de *Asakusa kurenaidan* (Tóquio: Senshinsha, 1930).

Preparação	Antonio Carlos Soares
Revisão	Fábio Fujita e Vivian Miwa Matsushita
Composição	Edilberto F. Verza
Ideogramas à p. 7	Hisae Sagara
Capa	Miguel Simon, sobre obra de Midori Hatanaka, acrílico s/ folha de ouro, para esta edição
Editor assistente	Fábio Bonillo
Editores	Angel Bojadsen e Edilberto F. Verza

CIP-BRASIL. CATALOGAÇÃO NA PUBLICAÇÃO
SINDICATO NACIONAL DOS EDITORES DE LIVROS, RJ

K32g

Kawabata, Yasunari, 1899-1972
  A gangue escarlate de Asakusa / Yasunari Kawabata ; tradução Meiko Shimon. - São Paulo : Estação Liberdade, 2013.
  224 p. : il. ; 21 cm.

Tradução de: Asakusa kurenaidan
ISBN 978-85-7448-226-2

1. Romance japonês. I. Shimon, Meiko. II. Título.

13-03959   CDD: 895.63
                      CDU: 821.521-3

Editora Estação Liberdade Ltda.
Rua Dona Elisa, 116 | Barra Funda
01155-030 São Paulo – SP | Tel.: (11) 3660 3180
www.estacaoliberdade.com.br

漫才紅団

NOTA DO AUTOR
É difícil prever quanto incômodo esta narrativa poderá causar aos membros da Gangue Escarlate ou àqueles que vivem dentro e fora do parque Asakusa. Contudo, peço clemência, pois se trata de uma narrativa de ficção.

A garota do piano

1

Uma pochete de couro curtido de veado com armação de cobre; a piteira banhada de prata pendurada com o cordão arrematado de ágata, onde guarda o fino tabaco de Kokubu misturado com alguns caules verdes para evitar o ressecamento; o homem de calções brancos justos, polainas pretas e protetores brancos de dorso das mãos; somado a tudo isso, a bainha traseira do seu quimono levantada e presa no cinto. Há quem afirme que ainda pode ser vista uma figura como essa, de caçador de passarinhos, nos livros ilustrados dos tempos do grande Edo[1]. Não creio que seja uma brincadeira saudosista, pois quem me contou foi um delegado da Polícia Metropolitana de Tóquio.

Portanto, eu também imitarei o modo de falar cheio de rodeios do velho Edo, começando assim: "Este caminho..." Ah, sim. Eu deveria pesquisar se este caminho, pelo qual os conduzo, caros leitores, e que leva à moradia de um membro da Gangue Escarlate, é aquela mesma estrada que fora pisada pelos cavalos nos tempos idos, na década de 1660, quando certo grã-fino frequentava o Yoshiwara[2] de *hakama*[3] de couro branco, portando uma espada de

---

1. Período do xogunato Tokugawa, sediado em Edo (atual Tóquio).
2. Bairro de diversão oficial da era Edo.
3. Calças largas e pregueadas, usadas sobre o quimono, principalmente por homens.

punho branco, montando um cavalo também branco e ordenando ao puxador de cavalo que entoasse uma cantiga em moda na época.

Entretanto, suponhamos que, depois de três da madrugada — hora em que até os vagabundos estão adormecidos —, eu e Yumiko estivéssemos caminhando pelo átrio do templo Senso de Asakusa. As folhas douradas de ginkgo choviam incessantes, e os cantos dos galos se faziam ouvir.

— Que estranho. Neste templo Kannon[4] tinha criação de galinhas? — indaguei mais a mim mesmo e detive os passos, sentindo um frio na espinha. Quatro mocinhas vestidas para festa e com os rostos alvíssimos de maquiagem estavam paradas logo adiante.

— O senhor não está familiarizado com Asakusa. São as bonecas do Hanayashiki[5] — Yumiko deu uma boa risada com minha covardia.

Dizem que, quando a noite começa a clarear, o caçador de passarinhos consegue capturá-los introduzindo a ponta de uma longa vara entre os ramos das árvores. Não é nada que tenha a ver comigo, pois costumo levantar tarde.

Yoshiwara também mudou. Não sei se ultimamente foi proibida a exibição de fotografias no alto, elas estão confinadas em caixas de vidro, e temos que nos debruçar para examiná-las como se olhássemos amostras de borboletas de colecionadores.

Outro exemplo de como está o mundo hoje é aquele

---

4. É o nome popular do templo Senso, que venera Kannon, a deusa budista da misericórdia.
5. Literalmente "mansão florida". Nome do parque de diversões.

instrumento musical que parece meio máquina de datilografia, meio piano, que conhecemos por *Taisho-goto*, e teve seu nome mudado por comerciantes espertos para *Showa-goto*[6]. Não há por que ficar se lamentando de saudades dos tempos do grande Edo. Eu também abrirei diante de seus olhos o "mapa da era Showa", renovado graças à reorganização das ruas e dos bairros após o Grande Terremoto de Kanto[7], que ocorreu no décimo segundo ano da era Taisho (1923).

Agora temos um serviço de ônibus da linha Asakusa que vai pela estrada asfaltada entre Ugu'isudani, em Ueno, e a ponte Kototoi. Seguindo-se pelo lado norte da parada de ônibus de trás do templo Asakusa Kannon, veem-se os sub-bairros Umamichi, à direita, e Senzoku, à esquerda; pouco adiante, a delegacia Kisakata, à esquerda, e a escola elementar Fuji, à direita, e chegamos ao santuário Sengen no final da rua, onde há um cruzamento. Continuamos o caminho, acompanhando a muralha de pedra do santuário, e alcançamos o mercado público; depois, a ponte Kamiarai, do canal ao pé do dique que cerca Yoshiwara, mas antes de atingir a ponte, dobramos numa certa ruela — porém, "uma certa ruela" é uma expressão um tanto antiquada demais para iniciar uma narrativa. Eles não fizeram nada para merecer a condenação à pena capital; muito ao contrário, não cometeram crime algum, comparados aos puxadores de riquixá que se reúnem e fazem de

---

6. Era Taisho (1912-1926) e era Showa (1926-1988). Koto ("goto" em palavras compostas) é uma espécie de harpa horizontal.
7. Região central do Japão que abrange Tóquio, Yokohama e províncias próximas.

Asakusa seu antro. Por isso, não há qualquer problema em revelar o local para onde nos dirigimos.

— Patrão! Patrão! — Um puxador de riquixá chama um transeunte no parque Asakusa ou nas proximidades de Yoshiwara. — Vejo que o cavalheiro é do tipo acostumado a se divertir, mas o que acha de tentar um lugar diferente?

E então, logo que é fechado o negócio, o homem troca seu calçado de sola de borracha de trabalhador por um par de tamancos, guarda o chapéu — marca registrada deles — no riquixá, chama um táxi de um iene por corrida, pechincha para baixar pela metade e conduz o cliente. Cada um deles tem sua área de atuação, o mais inescrupuloso chegou a arranjar uma amante para um cliente que nem conhecia. A mulher tinha dois filhos, de nove e de quatro anos, e estava grávida de quatro meses.

Entretanto, quem tem interesse por etiquetas votivas[8] deve ter notado em alguns templos ou santuários esses papéis colados, anunciando a Companhia Escarlate. Pois a Gangue Escarlate, que se autodenomina também Companhia Escarlate, aspira realizar com grande pompa — grande pompa do ponto de vista deles — uma apresentação própria do seu grupo, mesmo que seja em uma barraca num terreno baldio. Uma garota desse grupo é aquela que vendia bolas de borracha na rua comercial Nakamise, do Senso, enquanto dançava *charleston*.

---

8. Etiqueta afixada por peregrino que percorre os mil templos (ou mil santuários) em sinal de sua passagem pelo local.

2

Portanto, até mesmo as etiquetas votivas levam a marca da Gangue Escarlate. Eles não tiveram a menor curiosidade para pesquisar o fato de que quem iniciou esse costume fora o imperador Kazan, ou se Utagawa Toyokuni, um pintor de *ukiyo-e*, também havia criado o desenho de etiquetas; nem demonstraram paixão por criar a marca do próprio grupo e tampouco tinham fé nos deuses a ponto de peregrinar aos mil santuários. Mas lhes darei um exemplo de que há uma pequena diferença em comparação à prática corrente de etiquetas votivas. Um dia, o pequeno Toki-ko[9] — conhecido como "Toki-ko do barco", por seu pai ser o barqueiro do grande rio[10] — puxou conversa comigo.

— Você conhece o pagode de cinco andares?
— Do templo Kannon?
— É. No terceiro lance, contado de cima ou de baixo, bem no canto do telhado virado para o portão dos Nio[11] tem um *onigawara*[12], com cara de macaco e umas guampas. Os olhos são de ouro, sabe? Eu queria tanto colar uma etiqueta na cara daquele macaco!

Quis dizer com isso que colam, na calada da noite, a etiqueta da Companhia Escarlate em locais incríveis, por

---

9. O sufixo *ko* é uma forma de tratamento familiar na linguagem popular.
10. Refere-se ao rio Sumida.
11. *Vajradhara*, em sânscrito. São duas divindades *bodhisattva*, guardiãs dos templos, representadas por figuras musculosas com expressões iradas.
12. Um tipo de telha ornamental colocada nos cantos do telhado das construções japonesas. Em geral traz a representação de rosto de ogro (*oni*), pois sua função principal, além da ornamentação, é proteção contra o mal.

vezes irreverentes, como, por exemplo: na lanterna gigantesca do portão dos Nio da entrada do templo Senso; no fundo laqueado de preto da segunda das três grandes lanternas do sub-bairro Irifune; no chifre bovino abandonado no jardim em frente à estátua de boi do santuário Ushijima, situado em Mukojima.

Mas essas ações não significam que os próprios membros da Companhia Escarlate desejem se tornar estrelas; eles querem, na realidade, apresentar ao menos uma vez um espetáculo bem original, a fim de causar enorme impacto no mundo e escandalizar os espectadores.

Por outro lado, como eu estava encarregado de escrever, a pedido do grupo, uma peça de um só ato para a Companhia Escarlate, a solicitação especial que um deles me fez foi bastante inocente:

— Só um *handle* (aperto de mão, na gíria deles) não tem graça. Pense em algo melhor para todo mundo, né? Faça o favor de escrever para que todos possam... com Aki-ko.

— Por falar nisso... sim! Esse fato aconteceu quando eu e Aki-ko estávamos caminhando pelo Rokku[13]...

Uma aglomeração de pessoas estava rindo à margem do pequeno lago Hyotan[14]. O sol morno, que fazia lembrar os dias agradáveis da primavera, aquecia-lhes as costas. Porém, espantei-me ao olhar. O local era no meio do lago, bem no gargalo do Hyotan, onde havia uma ilhota; pontes com caramanchões de glicínias ligavam ambas as

---

13. Sexto setor do bairro de Asakusa.
14. Fruto de cabaça dotado de dois bojos globosos, de tamanhos bastante desiguais, unidos por uma seção estreita.

margens. Na ilhota, em frente a Tachibanaya, uma casa especializada em cozidos tipo *oden*[15], um homem grandalhão, em pé junto às arálias que cresciam debaixo dos ramos de salgueiro, comia os pedacinhos de *fu*[16] espalhados na água. Ele entrara na água até os tornozelos, puxava os *fu* que flutuavam na superfície com uma vara de cerca de dois metros e os devorava com avidez.

— Que doido varrido! Está tirando a comida das carpas! — observou alguém.

As pessoas que estavam na margem de cá caíram na gargalhada. Depois de devorar uns catorze ou quinze pedaços de *fu*, ele agiu como se nada tivesse acontecido e deixou o local, ainda por cima com um ar digno e imponente.

Entretanto, Aki-ko trotou em passos miúdos, alcançando a parte de trás da Casa dos Insetos, e o chamou:

— Ken! Oi, Ken! — e deu-lhe uma moeda de dez *sen*[17].

Depois, virando-se para mim, ele me disse:

— Até pouco tempo atrás, o cara era *zubu* nestas bandas.

— O que significa "*zubu*"? — perguntei.

— É um tipo de mendigo. Não tem um território só dele; é um mendigo forasteiro... Aí, então, ouvi dizer que lavou os pés[18]... conseguiu ser um trabalhador respeitável.

---

15. Prato típico popular, que consiste em diversos ingredientes cozidos no panelão.
16. Semelhante a *crouton*, pão de trigo e glúten cortado em pedacinhos e torrados. Alimento costumeiro das carpas.
17. Um *sen* é um centésimo de iene.
18. Significa que deixou a vida indigna.

Mas parece que voltou à mesma situação de antes. É a recessão.

— Ora. Então não é um louco.

— Acha que ele conseguiria comer os *fu* do lago sem se fingir de doido? Ou será que enlouqueceu mesmo? Hoje em dia, mesmo não sendo louco um sujeito come à vista dos outros o que encontra no coletor de lixo. Mas ele voltou para a situação que tinha abandonado; agora o consideram um insolente e ele não ganha a parcela de esmola que outros repartem. Só pode estar faminto.

Já que eles são assim, nada impede que eu conduza os caros leitores até o esconderijo de um membro da Gangue Escarlate. Portanto, vamos a "uma certa ruela"; porém, eu tinha entrado meio que perdido "nessa ruela" não por simples investigação de um curioso, mas porque tinha um motivo secreto. Eu descobrira no fundo dessa ruela sem saída uma bela garota de cabelos tosados a modo de rapaz tocando piano. Foi um achado que eu não esperava.

3

Bem, quanto a essa tal ruela, em vez de seguirmos até o cruzamento da ponte Kamiarai do dique de Yoshiwara, dobramos à esquerda um pouco antes e entramos numa travessa onde existe um terreno baldio no fundo. No lado direito, há uma fábrica de chinelos de feltro e cortiça; e no outro lado, uma casa onde se aplica moxa por cima do papel umedecido. Eu tinha entrado nessa ruela sem saída pisando os capins secos e passando por cima de uma fileira de canos de barro, pois notara uma placa anunciando uma casa para alugar no fundo desse terreno baldio. É lógico que se tratava de uma daquelas casinhas enfileiradas parede a parede. As casas de ambos os lados da entrada da ruela tinham seu piso térreo abarrotados de sacos de carvão de madeira e parecia que só o andar de cima estava habitado. Viam-se umas camisas e peças íntimas de mulher secando nas varas de bambu atravessadas por cima da ruela.

"Por detrás deste portal, não há perigo de eu ser reconhecido", murmurei comigo mesmo.

Então, encolhi o pescoço para passar por baixo do portal de roupas lavadas e, ao virar a cabeça para esquerda, vi o topo da torre de observação do quartel dos bombeiros do dique Nihon.

"Então, é perto daquilo", disse para mim, e avancei. Quando ia passando pela terceira casa... parei, como se de repente um buquê de flores vermelhas tivesse sido empurrado para o meu peito.

Uma mocinha de vestido vermelho tocava piano no vestíbulo da casa. Destacando-se do vermelho do tecido e do preto do piano, o branco das pernas desnudas abaixo dos joelhos irradiava frescor. Embora se diga "vestíbulo", não passava de um espaço de chão batido pouco maior do que o comprimento de tamancos; eu poderia, se quisesse, puxar pela porta escancarada a ponta do laço de fita preta da sua cintura. O laço preto era o único enfeite que ela usava, mas o feitio sem mangas e com decote generoso lembrava um vestido para noite; ou melhor, parecia que ela usava em casa um figurino de bailarina no palco.

Entre os cabelos da nuca, de corte masculino, notei traços de pó branco.

Espantada, ela se virou para o meu lado; nisso, uma menina de doze ou treze[19] anos entrou correndo. A garota também ergueu, intrigada, o rosto para me ver. Eu retomei a caminhada.

Na porta da casa estava pendurada uma placa circular de madeira, na qual haviam gravado em letras verdes: "Aulas de piano". A menina disse:

— Mana! Estão falando que o Cassino Folies vai voltar a se apresentar no Aquário.

— Ah, é? Elas andam sem meias no palco. Quem sabe eu pego uma vaga nessa companhia? E a bicicleta, conseguiu emprestada?

— Consegui, sim.

Elas pareciam subir para o andar superior.

A casa para alugar era a segunda porta adiante. Antes mesmo de olhá-la, uma ideia me veio: "Era isso, era isso." Lembrei-me com clareza das garotas. Estava achando que já as vira em algum lugar.

Eu tinha comprado na loja de leques Hosendo um leque para dança feito pelo mestre Bun'ami, a fim de presentear minha irmã mais nova do interior, e estava indo em direção à agitada rua Nakamise. Na esquina havia uma loja de instrumentos musicais. Expunham gaitas de boca, bandolins, flautas prateadas, flautas chinesas Ming, violinos, xilofones, *shakuhachi*, bandolins chineses, etc.

---

19. O autor segue a contagem antiga, segundo a qual o indivíduo ao nascer era considerado como se tivesse um ano de idade, e a cada 1º de janeiro passava a ter um ano a mais.

No meio da loja, uma garota tocava com habilidade num *Taisho-goto*, agora rebatizado *Showa-goto*, umas cantigas de moda que os senhores, caros leitores, conhecem de filmes cinematográficos. Ela era uma sósia daquela que encontrei na ruela.

Além disso, já no final do outono surgem nas ruas de Asakusa vendedores de calendários, mas este ano apareceram também vendedores de bolas de borracha. As bolas são todas idênticas, assim como o método de venda. Um pouco maior do que a palma da mão, a bola é enrolada em tecidos azul e vermelho, como se estivesse embrulhada com fios coloridos, e é presa num cordão ligado ao dedo médio, ou seja, faz-se de conta que se brinca de socar a bola no ar — tonc, tonc, tonc. A maioria das vendedoras é mulher de meia-idade ou adolescente, e, com uma aparência que suscita piedade, vende a mercadoria.

No entanto, surgiu uma vendedora-menina de bela aparência — cabelo curto de corte reto com uma fita vermelha, saia rodada curta, os lábios de batom vermelho assobiando uma música que parecia jazz; e seus pés, com as meias caídas até o tornozelo, davam passos de *charleston*. Ela batia palmas em ritmo, socando a bola, achando, talvez, que fosse um tamborim ou uma castanhola. A menina era uma sósia daquela que encontrei na ruela.

Decidi alugar a casa desocupada da ruela. Depois saí para rua que passa em frente ao Teatro Miyato. Quando estava indo em direção à parada "Fundos do Parque – Defronte ao Teatro Miyato", da linha de ônibus Asakusa, fui ultrapassado por duas bicicletas velhas — um dos rapazes era sósia daquela garota do piano, pareciam gêmeos.

— Ei! Siga aquelas bicicletas — parei um táxi de um iene e, ao entrar, apressei-o.

Parque Sumida

4

Enquanto a dançarina executava no palco uma dança espanhola — não é invenção minha, vi com clareza —, notei no braço dela um pedacinho de esparadrapo, o qual cobria uma marca recente de agulha de injeção. Por volta das duas da madrugada, no átrio do templo Senso, um bando de dezesseis ou dezessete cães vadios perseguia um gato, rosnando de modo assustador. Por mais que esse tipo de coisa seja comum em Asakusa, não quer dizer que fui atrás das velhas bicicletas por sentir cheiro de crime.

Depois de uma e meia da madrugada, tem-se a impressão de que há em Asakusa mais policiais do que simples cidadãos. Porém, como não sou nem detetive nem inspetor, teria deixado tudo e ido embora para casa se não fosse a beleza daquela garota do piano.

Entretanto, antes de chegar ao quartel da Polícia Militar de Asakusa, meu carro alcançou as duas bicicletas e rodava ao lado delas. Logo adiante é a ponte Kototoi.

Um bando de mulheres trabalhadoras de construção vinha chegando de Honjo. Elas tinham a cabeça coberta com toalhas de algodão e andavam feito homem. Sobre a ponte havia barracas de *mochi* recheado de feijão *azuki* doce, macarrão lámen e outras comidas. Na margem oposta, via-se o santuário Ushijima, que estava em reforma; o abrigo em estrutura de madeira delgada e a cobertura de zinco eram tão frágeis que pareciam capazes de levantar voo só com o ruído de motor dos barcos a vapor.

Em frente à estátua do boi sagrado, junto à ponte, e dobrando para o lado de Shinkoume, o motorista parou de repente o carro e perguntou:

— Quer que espere?

Eles pararam na barraca defronte ao santuário e estavam comprando barras de balas *chitose*[20].

— Humm. Perceberam que estão sendo seguidos e pensam em me dar bala para lamber[21]? — dei um sorriso torto e liberei o táxi. Entrei também na loja de balas e doces.

O rapaz devia ser o irmão gêmeo da garota do piano, no entanto, parecia ter uns dezessete anos, dois ou três a menos do que ela. Usava um boné de caçador virado para trás, umas calças de veludo cotelê sujas, e, no rosto coberto de sujeira, apenas as orelhas eram limpas e bonitas, como se fossem adornos de conchas finamente talhados. Talvez porque eu tenha ruborizado por causa dessas orelhas e dos olhos espantados, os dois me fulminaram ao se voltar e saíram com rapidez da loja.

Daí foram para a ponte Makura — olhando à sua esquerda, havia uma enorme placa de anúncio da Beer House Ponte Makura, da cervejaria Sapporo — e entraram no parque Sumida.

A ponte ferroviária, que no passado fora a travessia

---

20. Literalmente "balas dos mil anos". Um par de balas compridas (cerca de um metro, com diâmetro de quinze milímetros), vermelhas e brancas. É costume dá-las às crianças nos rituais xintoístas. Simbolizam o crescimento saudável da criança e longevidade.
21. Expressão que significa "engambelar".

da ponte Makura, estava em obras, e havia guindastes assentados no meio do grande rio; bem defronte a eles avistava-se o pagode de cinco lances do templo Senso. Os verdes telhados da torre, flutuando sobre a água, e as casas da cidade cor de chumbo não me pareciam uma construção, mas lembravam os saudosos verdes da vegetação.

O novo parque Sumida se estende a partir desse ponto até o templo Chomei, ou, falando-se de modo moderno, até a casa de barcos da Faculdade de Economia; acompanha o percurso de regata e forma um passeio asfaltado à margem do rio. É o dique Mukojima da era Showa.

— Preparar! — gritou a jovem esposa alegre, parando ao lado do marido. Pelo jeito, ao ver este caminho retilíneo e asfaltado, qualquer um fica tentado a uma corrida.

— Já!

Firmando um pé com a sandália de feltro, ela começou a correr ao lado do marido. Cada qual carregava no braço um garotinho. Os pequenos vestiam calças azul-marinho e tinha uma fita azul no cabelo, eram gêmeos idênticos até no corte dos cabelos.

Atrás dessa felicidade doméstica, meus dois jovens escarneceram:

— Droga! Tomara que o pneu da bicicleta esvazie!

Puseram as bicicletas lado a lado, e o de belas orelhas puxou do bolso uma flauta de jazz — uma fileira de tubos colados numa placa de metal dourado, que por um tempo, este ano, fez sucesso entre as crianças nas bancas noturnas. Soou um apito forte, e com esse sinal teve início a carreira de bicicletas.

O cão que estava num barco começou a latir. A chata Sumida-maru IX subia o rio rebocando o Azuma-maru VII. Um barco da escola se aproximou da margem para descansar os remos. Duas auxiliares de cabeleireira correram a seu encontro, com as mãos enroladas nos seus aventais.

Tentando não perder de vista as bicicletas, passei por baixo da ponte Kototoi. Senti o ar gelado. Apesar do frio, os sem-teto procuravam abrigo ali; então escreveram avisos em giz branco com grandes letras: "Aqui não é lugar de descanso"; "É proibido deitar".

Só reencontrei-os mais tarde, quando o pináculo do restaurante Metrô começava a palpitar em vermelho e azul em virtude das luzes elétricas, e eu contemplava da ponte Kototoi o cenário de jantar dos barcos.

Foi aí que dirigi pela primeira vez a palavra a um membro da Gangue Escarlate.

5

A ponte construída pelo Departamento de Reconstrução em fevereiro de 1929 é radiante e plana, espaçosa e branca, parecendo o convés de um navio moderno. Lembra também uma estrada nova e saudável traçada sobre o grande rio, estagnado devido aos detritos da metrópole.

Entretanto, quando voltei a cruzá-la, iluminações de propagandas jogavam reflexos nas águas escuras e a melancolia da grande cidade parecia escoar por elas. No lusco-fusco da margem de Asakusa em obras do parque, os blocos de pedras brancas pairavam e, de longe, viam-se os trabalhadores descansando ao redor da fogueira, junto com os cavalos de carga. Encostado na balaustrada da ponte, olhei para baixo; ouvia-se o sussurro da maré alta. Nos três barcos de carga amarrados a um grosso pilar de concreto da ponte estavam servindo o jantar.

O vapor saía da panela de arroz do fogareiro a carvão portátil instalado na popa. Uma moça de cabeça coberta com uma toalhinha de algodão caminhava ao longo da amurada, abraçando a tina de madeira com o arroz recém-cozido. Na proa, umas roupas vermelhas estavam penduradas para secar num remo inclinado. No barco vizinho, assavam umas cavalas sob a lâmpada de querosene. Sobre o teto do barco, uma peneira de missô, lenhas, alguns baldes e outros objetos estavam espalhados desordenadamente.

Além de mim, ora três, ora cinco pessoas que voltavam do trabalho paravam para dar uma espiada, mas as famílias dos barcos nem tomavam conhecimento. Quando uma embarcação a vapor que passava jogou ondas, os barcos balançaram e o garoto que lavava os cebolões se desequilibrou; foi quando alguém disse atrás de mim:

— Está vendo o barco de Toki?

— Toki-i-i!

Ao me voltar, deparei-me com aqueles dois das bicicletas que eu perdera de vista. O garoto dos cebolões levantou o rosto.

— É o Toki-ko. Espere, que vou lhe jogar balas.

— He-e-i! Escuta, o Tatá disse que pode emprestar o barco — gritou do rio o garoto.

— Empresta? É sério?

— Se não for para aprontar alguma coisa ruim, ele avisou.

E disse que em troca vai levar nós quatro para escutar o *yasukibushi*[22].

— Entendi. Não fale tão alto! Olha a bala.

Caiu no teto do barco com barulho. No mesmo instante, apareceram rostos nos três barcos e todos juntos olharam para a ponte. Fiquei espantado. Contando só as crianças, eram sete.

Jogaram toda a bala *chitose*, curiosos juntaram-se na ponte.

O rapaz sósia da garota do piano estava calado e com um ar distraído. Sorrateiramente, deixou a aglomeração e ressurgiu atrás. Eu o abordei de repente.

— Para que você quer alugar um barco daquele?

Ele virou o rosto para o outro lado. Colocou um pé no pedal da bicicleta, e só então me encarou com frieza.

— Pois, então. Talvez eu venda mulheres dentro do barco.

— Pelo que me parece, você se sente revoltado quando vê irmãos gêmeos, como há pouco no parque Sumida.

Pensei que tinha acertado em cheio seu ponto fraco, mas ele assobiou.

— A mocinha que tocava piano naquela casa não é sua irmã gêmea? Por isso...

— Ah! Gostou dela e então me seguiu?

— Não. Estou pensando em alugar uma casa perto dali.

— Hum... Tem vontade de dormir na casa assombrada?

— Não tem importância.

— Ora essa! Lá tem casa de jogos. Se o senhor ficar

---

22. Canções folclóricas originárias da região de Yasuki, província de Shimane.

rondando por aí pode ser espancado. — Assim que acabou de dizer isso, chamou o companheiro com um assobio, pulou na bicicleta e desapareceu.

Meu primeiro contato com um membro da Gangue Escarlate terminou em fracasso. Contudo, se eu continuar desse modo, narrando segundo a ordem cronológica, deixarei os caros leitores entediados. Vou então me afastar deles.

Por exemplo, sobre esse "Toki-ko do barco", fiquei sabendo mais tarde que ele frequenta a Escola Elementar Asakusa, situada no átrio do templo Senso. Todas as manhãs, seu pai atraca o barco na ponte Kototoi para deixá-lo; porém, não há garantia de que esse barco que trabalha no grande rio possa chegar lá no horário do término das aulas da escola. Nessas ocasiões, só lhe resta ficar fazendo hora em Asakusa até a noite, ou às vezes até a manhã seguinte, enquanto espera pelo barco do pai que vem buscá-lo. Dessa maneira, acabou virando uma criança do parque.

Entretanto, talvez eu esteja contando tudo isso a fim de atrair a simpatia dos leitores para os membros da Gangue Escarlate, e acho que acabei mostrando somente o lado belo dessas pessoas.

A fulana de cabelo tosado

6

Eu disse que parece que acabei contando só o lado belo dessas pessoas.

Porém, Yumiko me explicou certa vez:

— Qual o problema? Sou naturalmente bela. Porque sou bela, Asakusa me dá o que comer. Assim fazem a loja de instrumentos musicais e a barraca de carrossel. Além do mais, há mendigos demais em Asakusa que se valem da miséria, da feiura e da deformidade.

Depois acrescentou, caçoando de mim:

— Mas é claro que alguém como você nunca vai entender a profundidade da miséria e da feiura de Asakusa.

A "beleza" a que ela se referiu é aquela da forma aparente, um pouco diferente da "beleza" sobre a qual mencionei ter falado demais. Sim, vou dar mais um exemplo.

Em um dia de meados de novembro, eu comentava sobre as notícias daquele dia.

— O vespertino falava de certa fulana de cabelo tosado que foi presa. Você leu?

— Fulana? Como vou saber quem é? Meu cabelo também é tosado. Odeio que me chamem de "cabelo curto". Oyumi[23] de cabelo tosado... Opa, é brincadeira, viu?

---

23. Antepor "O" em nome feminino para o tratamento familiar era costume da classe popular.

Mostrando uma covinha logo abaixo da pálpebra, ela se adiantou dois ou três passos, andando na minha frente.

— Pois bem. Pelo fato de você ter posto a placa de "Aulas de piano", só pode ser uma de "cabelo tosado".

— Mas há várias mulheres de cabelo tosado em Asakusa.

— Sei de uma que está com a cabeça raspada feito bonzo, dizem que é para não fugir do reformatório...

— Ah, está falando de Oshin?

— Foi presa mais de dez vezes pela delegacia Kisakata, e fugiu sete vezes do reformatório. Isso desde que tinha dez anos e durante os mais de sete anos que está neste parque...

— Eu sei. É Oshin, a *gokaiya*.

— O que é uma *gokaiya*?

— Uma mulher como essa Oshin. É aquela que atende operários diaristas, empurradores de carros enguiçados, coletores de lixo e sem-teto, esse tipo de gente. A maioria são crianças menores de catorze, quinze anos, há até velhas de mais de quarenta. Dizem que há bem poucas mulheres em idade casadoira dormindo na rua. Pois uma jovem que tiver um pouco de cabeça consegue se sustentar como esposa de seis dias por mês...

— Conte-me, essa tal de Oshin não seria a mais nova de todas as que sucederam aquela famosa Oshin de limoeiro-amargo?

— Ora, onde aprendeu isso?

— É a heroína da história de garotas desencaminhadas, não é? Pelo menos eu a conheço de nome. Aos treze ou catorze anos, organizou um bando de garotas desencaminhadas chamado Gangue dos Falcões, assumindo a liderança.

Estava sempre cercada de umas trinta seguidoras; seu quartel-general era o santuário Hachiman[24] de Fukagawa, e até os dezesseis anos conheceu pelo menos uns 150 homens... Que tal minhas respostas para o teste de História?
— Por isso digo que está sonhando. Depende de qual Oshin... quer que lhe apresente uma Oshin de cabelo tosado?
— Não. Basta a Oyumi de cabelo tosado.
— Olha quem fala! Mesmo assim, faço questão de que dê uma olhada. O melhor é ir de manhã. Vá com Aki-ko. Uma porção de sem-teto vai estar acordando e saindo dos palacetes deles. Pode não encontrar Oshin, mas garanto que vai achar uma ou duas *gokaiya*.

Decerto, ela não se esquecera desta história, e não demorou muito para eu ser levado por Aki-ko ao parque ainda coberto de cerração.

A iluminação das ruas ficou acesa a noite toda. Essas luzes eram as primeiras a acordar dentro da névoa matinal.

As lâmpadas decorativas em forma de campânulas se enfileiravam na avenida Hisago, mais conhecida como avenida Yonekyu. Há nessa rua a matriz da rede de refeições rápidas Azuma, a única casa que funciona a noite toda neste parque, onde nós comíamos o desjejum: carne bovina na panela. De repente, ouvi gritos de comando de exercícios matinais vindos de um rádio.

Pelo jeito, esta é a hora em que os sem-teto saem para olhar as placas de anúncios pintadas de casas de cinema. Ninguém os expulsa, ninguém os rejeita por causa da su-

---

24. Denominação popular do santuário Tomioka Hachiman.

jidade; banhados no sol matinal, eles podem apreciar as pinturas com profunda emoção.

Neste Asakusa que dorme até tarde, as barbearias, por alguma razão, são as primeiras a abrir as portas, no entanto até elas ainda estavam fechadas. E, defronte a uma delas, em pé diante do espelho embutido num pilar, uma bela e fascinante jovem fazia sua maquiagem.

7

O rosto de Aki-ko nesta manhã — era ele que tinha sumido de minha vista na ponte Kototoi —, livre daquela sujeira, que fora lavada, estava branco como o de um rapazinho do palco de ópera de Asakusa. Talvez por querer esconder a suavidade da linha do seu pescoço, ele apressava o passo, os dedos cruzados atrás da nuca, enterrando as bochechas nos cotovelos.

Algo parecido com uma sacola de carregar sandálias escolares de criança estava pendurado no seu cotovelo.

— Isso aí é uma lancheira?

— São meus cosméticos.

Ainda havia o aroma da névoa matinal na luz do sol incidente, que formava tênues sombras. Não se encontrava uma única loja aberta naquela hora.

Seguindo pelo lado do Teatro Nihon e passando por trás da cozinha do restaurante Sudacho, chegamos à rua Kitanaka — popularmente conhecida como travessa Texugo. Ali, durante o dia, as pequenas lojas anunciam de forma desordenada as ofertas especiais com bandeirinhas vermelhas, mas naquela hora da manhã o asfalto estava limpo como se fosse de uma cidade de maquete.

Sozinha nesta rua, diante do espelho da barbearia, a "louca dengosa" estava parada. Notando sua beleza aterradora, senti como se me tivessem jogado um balde de água. Porém, Aki-ko correu até ela.

— Vamos, mana. É melhor você ir para casa.

Ela se voltou: o penteado bizarro feito uma versão de outono do coque Shimada, a face coberta por um pó de arroz tão grosso quanto uma bala açucarada. O rosa-choque da gola removível do seu quimono, bordada com flores brancas de *ume*, suscitava certa tristeza. Aki-ko olhava com insistência as barras desgrenhadas do quimono da mulher, batendo nelas com a mão para tirar o pó, enquanto dizia:

— É verdade que saiu de casa só depois que amanheceu? Foi você mesma que afastou estas barras? Não chegou aqui ainda no escuro, não foi?

Ela, como se isso fosse uma prova de que era louca mesmo, começou a andar sem dizer nada.

Nós fomos à rua Nakamise. As portas de folha-de--flandres das lojas estavam todas abaixadas. Em frente a elas, alguns ambulantes estendiam esteiras com suas mercadorias. Um interiorano, vestindo um roupão da hospedaria, comprava lápis de dez centavos a dúzia.

Umas gueixas oravam no templo. Estudantes a caminho do colégio. Mendigos. Meninas-babás. Operários diaristas. Um homem voltando para casa. Os sem-teto. Embora não seja nada estranho que passem todos os tipos humanos pelo átrio do templo Senso, observar tão numerosas pessoas aglomerando-se para ver comércio a céu aberto, às sete, oito da manhã, com cara de quem está desligado deste mundo, é de fato algo fantástico neste Asakusa.

Entretanto, notei as tabuletas numa casinha à esquerda do portal Nio: "Estamos recebendo donativos para a grande reforma do pavilhão principal do templo"; "Estamos recebendo telhas para o telhado do pavilhão principal do templo".

Já que isso chamava atenção, era sinal de que ainda faltava algum tempo para que começassem as agitações em Asakusa. Encostado nessa casinha, um mendigo dormia enrolado num cobertor vermelho.

Do lado direito, atrás do santuário Kume no Heinai, cerca de vinte sem-teto preparavam-se para o desjejum. O vapor subia da panela de canja posta à sombra da árvore próxima ao muro de adobe.

Enquanto eles se aqueciam ao sol, o homem encarregado da panela fazia a distribuição:

— Upa! Para você! Upa! — e ia entregando uma tigela de canja para cada um.

Ao lado do pavilhão Kannon, o fabricante de pernas de bambu cortava varas de bambus com golpes vigorosos. As velhinhas vendedoras de grãos de soja para os pombos comiam apressadas o feijão cozido à guisa de refeição matinal. Com toalhinhas cobrindo a cabeça, eram seis velhinhas, que armavam pequenas mesas de madeira cobertas de folha-de-flandres. Havia um bando de pombos — o chão, os telhados, o céu; tudo abarrotado de pombos.

Quatro ou cinco galinhas pousavam atrás das lanternas de pedra do monumento comemorativo do triunfo das tropas japonesas na Guerra Sino-Japonesa.

Após passar por entre os pombos, cheguei à praça arborizada e então notei que vários bancos estavam ocupados por sem-teto, que promoviam reuniões matinais.

Um garoto vendendo jornal ia de um banco a outro; uns capatazes buscavam trabalhadores diaristas. Aqui e ali se viam aglomerações barulhentas. Contudo, a maioria das pessoas tinha uma expressão vazia no rosto e mantinha-se calada feito um bando de lunáticos, mergulhada no fundo de sua solidão.

Então, quando estávamos saindo para os fundos do parque, Aki-ko puxou minha manga.

— Veja!

Num banco próximo, descansavam dois homens regadores de plantas do parque. Um deles deu uma ponta de cigarro para um sujeito que se aproximou — não, não é homem, é uma mulher! Aquele jeito de correr sacudindo os quadris... —, vestido com dois roupões de algodão listrado, um sobre o outro, imundos, uma faixa simples de tecido na cintura, e calçava uns sapatos de sola de borracha de operário; mas com certeza era mulher, a ponto de causar nojo.

— Entendeu? Aquela é uma das fulanas de cabelo tosado. A maioria é desse jeito. É a ralé mais baixa de Asakusa. Mesmo assim, é sorte da mulher que ainda possa correr. Um sem-teto nunca corre — continuou Aki-ko. — Decepcionou-se com o cabelo tosado? Então volte para casa. Tenho que ir entregar minha mana a uma pessoa, e ainda passar numa loja de roupas para alugar e me produzir; depois, tenho um trabalhinho a fazer.

A fulana de cabelo tosado estava junto a um homem sentado num banco adiante, quase encostando sua face amarela e flácida no rosto dele, e oferecia o toco de cigarro que catara do chão. O homem tinha um sapato rasgado num pé e uma sandália de palha no outro.

Casa dos Insetos

8

O casal de tigres do Hanayashiki dormia, o macho pousando uma pata sobre a barriga da fêmea. Uma cena caseira, sem dúvida. Mas o fato de duas cabanas — o Hanayashiki e a Casa dos Insetos — terem ganhado popularidade como locais de diversão familiar em Asakusa, e chegar até o seu conhecimento, caros leitores, não foi por causa da posição adormecida do casal de tigres. Foi graças aos cavalos de madeira do carrossel.

— Veja! Mais um fogo de artifício, senhorinha! — Ao dizer isso, a jovem da Casa dos Insetos se agarrou nos braços da "senhorinha", que estava no cavalo, e correu para fora. — Veja, veja! Os pombos estão assustados, voando para todos os lados.

Enquanto falava, a jovem deu um encontrão no quadril de um "cavalheiro de traje ocidental".

— Sua burra!

— Ora, perdoe-me, senhor.

Ela lhe lançou, ruborizada, rápidos olhares e espanou com o lenço o sobretudo do homem, como se o tivesse manchado com pó de arroz, mas já olhava para o outro lado.

— Olha só! Desceu um monte de pombos no telhado do templo Yakushi. As penas da cabeça deles são bem mais modernas do que meu corte de cabelo.

— Está gozando da minha cara, hein? — perguntou o homem.

Ao se virar, ela fulminou com o olhar os olhos do homem e voltou rapidamente para dentro da cabana. A banda começou a tocar. O carrossel iniciou seu giro.

O homem não se afastou e ficou lendo a placa do anúncio: "Exemplar único no mundo: o homem da boca no ventre. A boca do rosto é só para falar. Ele ganha a vida comendo pela barriga."

O homem espiou o interior. O eixo do carrossel tinha espelhos em oito faces. E no estrado espelhado, que lembrava uma flor-de-lótus, ficavam os músicos da banda. Em seu redor giravam os cavalos e os automóveis de madeira dos "senhorinhos e senhorinhas". Acima da cabeça dos músicos se estendiam ramos com folhas de bordo em cores outonais, feitas de papel recortado. Perto do teto pintado de branco, folhas de *basho*[25] de papel verde balançavam pesadamente.

Não são apenas meninas-babás, donas de casas de comércio, senhoras de família, artesãos e pais que ficam sentados em bancos ou apoiados em paredes, olhando com uma cara de bonachão um tanto abobalhada o carrossel dar voltas e voltas; todos fazem isso. Atrás da venda de ingressos, encontravam-se em pé alguns operários, *gentlemen*, soldados, empregados de lojas, além de uns dez universitários.

Então, o tal homem murmurou: "Até que está bem concorrido." E resolveu entrar na roda.

Do outro lado vinha chegando a "moça concorrida", de

---

25. Planta ornamental da família de *Musa*, semelhante à bananeira. Originária da China. *Musa basjoo*.

quimono de *meisen*[26] de fundo preto, com grandes estampas em forma de #, de contornos indefinidos, um guarda-pó verde-escuro por cima, uma bolsa de couro presa no cinto também de couro.

— Que ótimo, o cara caiu direitinho — disse a moça à "senhorinha" do cavalo branco.

Então, penteando a franja curta da testa com os dedos e jogando-a para o alto, ela levantou apenas o olhar e fitou o homem, fazendo biquinho como se fosse assobiar, e começou a bater o ritmo da "Marcha da Marinha" com a ponta da sandália de feltro. O homem deu várias piscadelas.

— Está gozando da minha cara, hein? — disse ele.

Quando ela chegou à frente, o espelho refletia sua nuca de corte masculino.

Essa vendedora de bilhete é aquela que os leitores já conhecem: Yumiko. A garota do piano daquele beco obscuro.

E o carrossel dos "senhorinhos e senhorinhas" é o palco da sua beleza, pois ali sua forma pode ser admirada de todos os ângulos pelos homens, à medida que gira o carrossel, do mesmo modo que um manequim posto sobre um estrado de exibição.

No segundo andar, terminava a sessão de narrativa cômica de Miyoshiya Fukuyakko, a "garotinha gênio" de seis aninhos. Em seguida, o apresentador entrou no palco e anunciou:

— Com a expectativa de que sirva de algum modo à pesquisa médica, apresentaremos aos senhores e às senhoras o ato de comer pela boca do ventre!

---

26. Tecido de seda ordinária feito de pedaços curtos de fios de seda.

O "homem da boca no ventre" é natural de Asahikawa, Hokkaido. Por ter bebido muito saquê para suportar o frio da nevasca, e chegando a ingerir álcool puro, acabou sofrendo um estreitamento do esôfago; e então foi aberto um orifício em seu ventre, numa cirurgia feita na Faculdade de Medicina de Hokkaido.

Seu cabelo era cortado à maneira de tigela, e o resto da cabeça e a nuca estavam raspados; ele usava óculos de armação grossa de celuloide e vestia uma roupa branca de flanela semelhante ao uniforme de judô. O homem afastou a frente da roupa branca e exibiu seu ventre.

Ao rés do chão, o homem de traje ocidental, com a mão escondida na altura do quadril, fazia sinais vigorosos com o polegar, convidando Yumiko. A "senhorinha", que havia visto os pombos, saltou do cavalo de madeira e parou em frente ao homem.

Era aquela menina do beco obscuro.

O homem leu o que estava escrito na bandeirinha vermelha de papel que ela tinha na mão. "Esta noite, no terceiro piso do prédio ao lado."

O prédio ao lado era o Aquário. No segundo andar, começou o show do corpo de baile do Cassino Folies.

9

"O curioso monstro, o homem com a boca na barriga" afastou as golas da sua roupa branca com um movimento vigoroso. No entanto, senhores leitores, haveria no mundo uma casinha de espetáculos tão mortiça quanto esta?

Coladas ao palco, havia apenas três filas de bancos, e o resto do espaço era somente o chão de tábuas.

Da janela de vidro, pela qual entrava o abundante sol da tarde de outono, podia-se ver as extremidades dos ramos de árvores. Era o cenário de uma cabana do interior distante.

Contudo, o que contribuiu para dar uma sensação ainda mais desolada foram os empoeirados mostruários de vidro com amostras de cigarras, besouros, borboletas, abelhas e outros insetos, que estavam alinhados junto às janelas, como se para justificar o nome Casa dos Insetos. Isso suscitou uma lembrança de Asakusa dos tempos das eras Meiji ou Taisho.

— Porém, na boca que o médico criou na barriga infelizmente não existem dentes. No seu lugar, há um bico, como o de um pássaro.

Seguindo as palavras do apresentador, o homem de roupa branca desmanchou a fita que prendia um pano enrolado no bico. Algo semelhante a um cachimbo estava espetado na barriga.

Ele então colocou um funil de vidro na extremidade do cachimbo e despejou para dentro o leite e o pão em farelo.

— Mesmo depois de ficar neste estado tão miserável, ele não consegue esquecer a delícia do saquê e, de vez em quando, resolve tomar uns *go*[27]. Saboreia com a boca do rosto e ingere com a da barriga; quando bebe, sai do bom caminho e pode acontecer de ele ir a Yoshiwara para uma farra. Vejam, está encabulado! De qualquer modo, ele

---

27. Unidade de medida: um *go* equivale a 180 mililitros.

até consegue se divertir, vivendo com boa saúde graças à boca da barriga. Senhores! Não é admirável o progresso da ciência médica?

Saudade do meu amor, as luzes se desvanecem,
Triste é meu obi *escarlate profundo que se afrouxa...*

Ao rés do chão, a banda terminou a execução, e os cavalos dos "senhorinhos e senhorinhas" pararam.

O homem leu o bilhete da bandeirinha vermelha, apontada para o seu peito, e olhou surpreso para Yumiko.

Ela estava de costas, retocando a maquiagem. Mas o observava através do espelhinho.

Outras crianças montaram nos cavalos e a banda recomeçou a tocar. Yumiko andou de um cavalo a outro, vendendo ingressos.

— Estou deixando os cavalos de madeira, hoje é meu último dia — disse ela a uma garçonete de avental branco.

— Está querendo me assustar?

— Encontrei o meu adversário ao nível de... seria bom que fosse verdade.

Os cavalos balançaram feito gangorra e começaram a girar.

A "senhorinha" da bandeirinha havia sumido.

Contudo, acreditando na promessa da bandeirinha, nessa noite o homem ficou esperando no terceiro piso do Aquário por mais de duas horas.

Fazia algum tempo que, perto dele, uma mocinha de cabelos trançados dava risadinhas, sem levantar o rosto. Então, ainda rindo, ela se inclinou para ele, empurrando-o com uma mão, e disse:

— Você é bastante descuidado, não é?

— O quê?! — gritou o homem. — Ah!... que é isso? Veio disfarçada de tranças. Não me faça de trouxa.

— O cabelo curto chama muita atenção. Você o prefere?

— Essas tranças são postiças?

— Posso tirá-las a qualquer hora para você. Não precisa gritar. Tem um policial lá no térreo.

— Está bem. Que tal irmos a Mukojima para eu ouvir de você sobre o Asakusa dessa nova época?

— Mas...

— Tem ideia melhor?

— Não. Sou perseguida nestas bandas. Por terra, todos os lados estão fechados.

— Por terra, hein? Que exagero.

— Não podemos ir de barco?

— A-han! Então, há essa alternativa?

— Só que tenho um pouco de receio.

— Você ficou me fazendo de bobo desde a tarde, não tem por que sentir receio agora.

— Não é de você. Por eu passar mais tempo como se fosse homem, não há homem que me assuste. Mas, sabe? Minha mana, que é mais velha, se apaixonou seriamente por um cara e acabou enlouquecendo. Como sou irmã dela...

O Aquário

10

"Asakusa: é o coração de Tóquio..."
"Asakusa: é um mercado humano..."

São as palavras do cantor de *enka* Soeda Azenbo. Asakusa é Asakusa de milhões de pessoas. Em Asakusa, tudo está jogado de forma crua. Diversos desejos humanos dançam desnudos. Todas as classes, todas as raças, numa mistura, formam o fluxo de um grande rio. Um fluxo profundo e desconhecido, que escoa sem fim, de manhã à noite. Asakusa vive.

O povo caminha sem parar. E o Asakusa desse povo é uma oficina de fundição que derrete constantemente os moldes velhos de tudo que existe e os transforma em novos moldes.

E, como parte desse processo, o Aquário está em transformação nesse momento, em "um novíssimo molde" dessa "fundição".

Como se fossem monumentos de recordação do passado, a Casa dos Insetos e o Aquário estavam esquecidos no quarto distrito do parque Asakusa. Hoje as bailarinas do Cassino Folies, após passarem defronte aos peixes que nadam nos tanques desse Aquário, e ao lado da maquete do palácio do Rei dos Mares, chegam a seus camarins. O pintor Tsuguji Fujita[28], que retornou de Paris, vem assistir aos shows em companhia da sua esposa parisiense, a senhora Yukiko.

Se o "Show Concertante de Jazz Japonês e Ocidental", um espetáculo desordenado de vários gêneros diferentes, representava o Asakusa de 1929, o Cassino Folies, que foi inaugurado como a única casa em Tóquio especializada em shows importados do "moderno" Ocidente, juntamente com a torre do restaurante Metrô, representa o Asakusa de 1930.

O erotismo, o *nonsense*, a velocidade, o humor caricatural dos acontecimentos correntes, as canções de jazz, as pernas das mulheres...

Entretanto, o público do terceiro andar não era numeroso e não havia perigo de que alguém escutasse a conversa entre Yumiko e o homem.

— Quer dizer que sua irmã mais velha, conservadora a ponto de enlouquecer por amor, serviu de lição amarga? Por isso a irmãzinha preferiu ser uma desencaminhada dos novos tempos, hein?

— Assim pareço?

— Pare de ser esnobe! Tempos atrás, uma mulher do parque era muito mais impaciente!

— É mesmo?! Também quero ser assim. Apaixonar-me por um homem sem qualquer preocupação, e, se eu caísse apaixonada, deixar apenas que aconteça o que deve acontecer; a vida ficaria muito mais divertida. Se você me olhasse melhor, entenderia. Não sou mulher. Observei

---

28. Também conhecido por Tsuguharu Foujita, Léonard Foujita (1886-1968).

minha irmã desde criança e decidi que não me tornaria mulher. E então concluí que os homens são realmente covardes! Até hoje ninguém fez com que eu me tornasse mulher.

Não é assim, não é assim, ó Dotonbori?
Cidade das luzes de arco-íris, pardais que nunca dormem...

Mais ruidosa do que a banda de jazz do compartimento da orquestra, ecoava do subsolo a "Cantiga de Naniwa", vinda da vitrola do restaurante da administração do Cassino Folies.

O palco apresentava o cenário do quarto ato da *Plataforma da estação Shinjuku*, "O rapaz acompanhante".

— Olhe só! A maioria das atrizes daqui não usa meias — observou o homem. — Não conseguem nem comprar? Quer dizer que aquelas que usam meias têm maus hábitos?

— Você só pensa desse modo malicioso... Você foi um transviado quando era adolescente? As dançarinas daqui são crianças de catorze, quinze anos. A mais velha tem vinte. Espere para vê-las na saída. Se fossem mulheres depravadas não entrariam na casa de *shiruko*[29] com quimonos de *meisen* ou de musselina amarrotados. Mais uma coisa, elas não usam meias de propósito. Chama-se isso de *stockingless*, assim mostram as pernas nuas. Também não passam pó branco nos braços e nas pernas. Na época do calor, pode-se notar os pontinhos vermelhos das picadas de mosquitos.

---

29. Doce de feijão *azuki* em calda.

Yumiko então encolheu os ombros, como se de repente sentisse frio, puxou dos joelhos o xale de *rinzu*[30] branco, enterrando nele o rosto ainda mais branco, e baixou a voz.

— Quando estou com um homem, sempre me avalio. Ponho na balança a vontade de me tornar mulher e o receio de virar mulher... Com isso, acabo me sentindo miserável e fico ainda mais solitária.

— Hum. Hoje em dia, até os galanteios são um tanto descarados e cheios de rodeios, hein? Há pouco as moças no palco disseram: "Estou indo em busca de um mundo onde haja alimento e prazer", ou então "Me ame materialmente"...

11

Ao todo são onze shows de variedades:

1. *Jazz dance*: "Titina"
2. Tango acrobático
3. *Nonsense sketch*: "Essa garota, essa garota"
4. Dança: "La Paloma"
5. *Comic song*

Pois bem! Na troca rápida de cenários às escuras, as dançarinas mudam seus figurinos nas alas laterais do palco, sem se importar em expor os seios.

---

30. Tecido de cetim com trama decorativa.

E o sexto número é o *jazz dance* "Ginza".

[...]
Pela estrada, larga como a faixa do quimono,
De calças de marinheiro e sobrancelhas desenhadas,
De corte Eton, que maravilha!
A bengala de snakewood *sacudindo.*

De cartola inclinada na cabeça, colete de veludo preto, gravata borboleta vermelha, gola branca da camisa desabotoada, carregando debaixo do braço uma bengala fina — é óbvio que se trata de uma atriz travestida de homem, de pés descalços. Desta feita, de braços dados com as garotas sem meias e de saias curtas, que cobrem apenas os quadris, desfilam dançando como se em passeio pela avenida Ginza, cantando em coro a "Canção da Ginza Moderna".

Nisso, logo se ouviu na escuridão "Folião de Fukagawa". As tranças de uma garota balançavam, acompanhando a dança de dois jovens galãs vestindo apenas um casaco *happi* azul-claro esverdeado[31].

— Ah! Isto até eu dos velhos tempos entendo — disse o homem, que pela primeira vez dirigiu sua atenção ao palco. — Aquela miudinha até que dança bem.

— É claro que ela dança bem. Dizem que a avó dela é professora de dança japonesa.

— Ryu-tchan!

— Hanashi-ma-a!

---

31. No original, em japonês, "*mizuasagi*".

Ouviam-se os gritos entusiasmados da plateia, que clamavam o nome de suas favoritas.

— É um sucesso. Quem é Ryu-tchan?

— Ryuko Umesono é a miudinha. Mas só tem quinze anos, não é desanimador? — Yumiko voltou a enterrar o queixo no xale de seda branca e pendeu a cabeça. — Dança como essa... não acho legal. Quem cresceu na cidade baixa, como eu, é levado a recordar muitas coisas da infância. Além disso, dançar de tranças é uma esperteza: os homens ficam tentados, e as mulheres se sentem melancólicas, sem que tenham uma razão...

— Foi por isso que você veio de peruca com tranças?

— As tranças parecem menos peruca. Não é só isso. Quando estou com alguém que não é como você, mas mais tímido, consigo ser uma mocinha de tranças de verdade. Tudo depende até dos seus gostos... Mas, assistindo ao show, você não se lembra dos teatros Nihon ou Dragão d'Ouro? Sumiko Kawai atirava do palco seus cartões de visitas; ou quando os estudantes ginasiais foram presos no Teatro Nihon e levados feito rosário para a delegacia... Eram coisas da época de ouro da ópera de Asakusa.

— O quê?! Está achando que fui um vagabundo da ópera[32]? — o homem parecia realmente espantado.

— Como vou saber disso? Na época, eu tinha acabado de entrar na escola elementar. Foi há mais de dez anos. Cinco ou seis anos depois que minha irmã tinha enlouquecido... o namorado dela era de Asakusa. Até parece que estou aqui no parque só porque quero encontrar esse homem.

---

32. No original, gíria de Asakusa, "*peragoro*": frequentador assíduo da ópera de Asakusa.

— Hum. E, caso encontrasse, vingaria sua irmã?

— É o contrário! Pobre da minha mana. Estou certa de que vou me apaixonar por ele. Eu também quero enlouquecer amando esse homem que ela amou a ponto de ficar louca... É claro que fiquei muito revoltada por causa da minha mana. Decidi que nunca na minha vida me tornaria mulher. Mas, pensando bem, antes disso, quando era criança, eu sentia tanta inveja do namoro da minha mana! Brincava de aprender a namorar, fingindo que eu era ela. Por isso, mesmo que ele me maltrate, quero me encontrar com esse homem!

— E o barco? Que fim levou o barco? Você fica me contando essas histórias esquisitas da sua irmã, que não têm nada a ver comigo...

— Não é bem assim, "não ter nada a ver". Vou lhe contar mais histórias esquisitas no barco. Vamos ver, daqui a quatro ou cinco dias. Na terça-feira da próxima semana?

Entregou um pedaço de papel ao homem e disse:

— Vou mandar atracar o barco neste ponto aqui do mapa, que está no verso deste papel. Às três horas, certo?

Pouco depois, procurando não chamar a atenção do homem, ela desapareceu do Aquário.

12

"'Número 98: má sorte'. Hum. É a carta de sorte do templo Kannon, que gracinha."

Seja cauteloso no novo amor.
Deixe tudo como está.

Desculpas complica-lo-á ainda mais.
Este amor fará outros sofrerem.

No verso, havia um mapa rabiscado a lápis. O palco chegava ao "Finale".

Todo o elenco de artistas apareceu no palco, dançando e cantando em coro "A canção moderna", cujo refrão é:

(Alguma coisa, alguma coisa), modern boy.
(Alguma coisa, alguma coisa), modern girl.

O show acabou.

Mas não se via mais Yumiko. O homem permaneceu sentado até todos os espectadores saírem.

Quando se tornou escasso o número de pessoas, pairava no ar aquilo que estava impregnado no piso, nas paredes e nas cadeiras do recinto: o cheiro de mendigo. Caros leitores, não falo no sentido figurativo. Mesmo naquela época, quando começaram os shows da companhia de dança, compareciam clientes-mendigos e sem-teto no Aquário. Os mendigos e os sem-teto assistiam às danças das garotas seminuas com maquiagem moderna. Essa caricatura bizarra também era coisa de Asakusa. Aí, então, pouco a pouco começaram a aparecer os estudantes e a "gente de Ginza".

Todavia, mesmo hoje os meus caros poderão ver algum homem bem estranho — com uma máscara de pano cobrindo parte do rosto cheio de sujeira e barba, e de trastes, vestindo uns farrapos —, que aparece sem falta todas as noites e fica parado, de braços cruzados, na sombra da coluna à esquerda do espaço de chão batido, se deleitando, emocionado, com o *jazz dance*.

Do lado de fora, três aqui, cinco acolá, parados no ar friorento, esperavam ver a saída das dançarinas. Segurando o papel da sorte na mão direita, o homem estalou a língua, irritado, e voltou-se para trás. Na entrada do teatro, decorada com bandeiras vermelhas, via-se, em pé, uma sereia em alto-relevo e, acima dela, peixes em gesso, nadando.

"Pelo jeito, minha cara já não é mais respeitada. Uma garota a lambeu sem qualquer respeito. Até ganhei um mapa; é o cúmulo!"

De fato... ele não precisava do mapa para chegar a essa embarcação. Seria bem simples dizer em palavras o mapa que Yumiko desenhara: "A partir do portal Niten, o acesso leste do templo Senso, siga direto pela rua desse portal até o grande rio." Seria tudo.

Após se cruzar a passagem de nível da ferrovia e acompanhar as casas da margem do rio, chega-se ao sub-bairro Yamanoshuku. O atracadouro estava em obras. À esquerda, fica a ponte Kototoi; e logo à direita, a obra de construção da ponte da ferrovia da linha Tobu. Na margem havia cerca de vinte a trinta pequenos barcos, entre os quais o *Kurenaimaru*, com o nome escrito em letras vermelhas na parte traseira, etc. Nenhum desses detalhes era necessário, pois se podia ver o atracadouro desde o portal Niten.

Na outra face do mapa, havia uma carta da sorte: "Quem você espera não vem."

Por isso, na terça-feira, o homem chegou atrasado de propósito ao encontro no atracadouro, marcado para as três horas, e... tomou um susto, se escondendo atrás de uma árvore. Havia vinte a trinta barcos de pequeno porte, mas só um deles ostentava a longa vara com um par de meias de seda pretas, que pendia, secando ao vento. Comparado às roupas lavadas estendidas dos outros barcos, era um sinal bem chamativo.

Com a rapidez instintiva de quem já passara por muitas situações arriscadas, o homem percebeu que era um sinal de perigo. "Se ela pensou em me atrair para a água, vamos ver o que me espera."

Sorriu com sarcasmo e atravessou as obras de aterro do parque, pisando os blocos de pedras talhadas. Um rapaz de chapéu-coco se aproximou.

— Patrão, está com a carta da sorte do templo Kannon?

— Quem é você?

— Bem. Ela o aguarda no *Kurenaimaru*.

— Você não é barqueiro — disse o homem, estendendo-lhe uma nota de cinco ienes. Avaliando o modo de receber, podia discernir a intenção do outro. — É pouco, mas já que vai cuidar de mim...

— Fico muito agradecido, mas já recebemos a tarifa do barco — disse, indiferente. — Por aqui, por favor.

Dispôs uma prancha estreita entre o concreto do cais e a borda do *Kurenaimaru*. O homem embarcou.

Então ele viu, no estreito compartimento do barco, debruçada sobre as roupas de cama e profundamente adormecida, Yumiko.

O cabelo curto em desalinho fazia com que sua testa parecesse infantil. Os cílios e os lábios se destacavam da face, como se tivessem vida própria. A saia rubra não alcançava os joelhos, e Yumiko não usava meias. As pernas desnudas estavam coladas uma à outra, mas os pés atirados expunham as solas como se fossem um trabalho finamente talhado em conchas rosadas. As brasas do fogareiro iluminavam um lado dos pés da garota adormecida.

Ume-ko, o Gato Prateado

13

Teria sido mais ou menos na hora em que o *Kurenaimaru* deixou o cais de Yamanoshuku?

— É o panelão social de todos os anos! Pedimos donativos para que as pessoas humildes tenham os *mochi* de Ano-Novo!

Voltei-me por causa dos gritos da oficial do Exército da Salvação e parei perplexo. Eu estava ao lado do posto policial do portal Kaminari, que era a entrada para a rua Nakamise. Junto do posto policial havia um pé de ginkgo; e atrás, uma cabine de telefone automático, um poste de coleta de correspondências e o panelão social. Na parede lateral, estavam pendurados um espelho chamado "espelho do bem" e, a seu lado, um quadro de aviso.

Um único aviso no quadro-negro chamou-me a atenção: "Reúnam-se em Hanakawado. Companhia Kurenai."

Notei que o "espelho do bem" refletia meu rosto risonho. Na borda do quadro-negro havia várias inscrições à tinta: "Delegacia de Kisakata", "O quadro de aviso é de todos", "Associação dos Veteranos Reservistas – Subdivisão de Asakusa".

Sem perda de tempo, as crianças-vendedoras de calendário me cercaram, chegando a me incomodar.

"Na parede lateral do posto policial, em plena agitação da Nakamise... já que é tão exposto, ninguém suspeita. Como sempre, eles sabem jogar com a psicologia das pessoas." Murmurando comigo mesmo, resolvi dar uma chegada a Hanakawado.

Hanakawado tem a ver com o nome do herói e galã popular Sukeroku, da velha metrópole Edo. Caros leitores, não sou membro da Gangue Escarlate, mas sei que Hanakawado é gíria deles e que significa "Restaurante Metrô". Isto porque, quando estava em construção no outono de 1929, era chamado de "edifício Hanakawado".

A velha torre de doze andares partira ao meio no grande terremoto de 1923. O restaurante Metrô só tem metade da altura, quarenta metros, e seis andares. É o único em Asakusa que tem miradouro com elevador.

Desse miradouro se podia avistar, logo abaixo dos olhos, o *Kurenaimaru* de Yumiko e sua companhia. Porém, como não havia semáforo, não se podia distinguir a expressão do rosto do barqueiro. Digo isso porque, na popa do *Kurenaimaru*, que subia em direção à ponte Kototoi, o barqueiro estava visivelmente pálido. O homem teria domado Yumiko? O rapaz estava com ciúme.

— Você não é barqueiro.

Como dissera o homem antes de embarcar, ele não é barqueiro. Por duas ou três vezes, esteve cumprindo pena na prisão para menores de Kawagoe. Havia sido um típico menor delinquente.

Este, de nome Umekichi, não tinha caído nas mãos da Gangue Escarlate; ao contrário, fora salvo por eles e despertou de pesadelos de longos anos.

Como um exemplo de menor delinquente que vive em Asakusa, apresentarei aos senhores as confissões de Umekichi. Em primeiro lugar, as confissões amorosas.

Caso 1. Umekichi, seis anos de idade. Tornou-se brinquedo de uma mulher de mais de quarenta anos.

Caso 2. Treze anos. Brincava em frente da loja de material escolar, que ficava defronte à escola, e fez amizade com uma menina um ano mais velha. Ela era filha de um funcionário de uma empresa. A menina o convidou para sua casa. Não havia ninguém lá. Nenhum dos dois tremeu na hora. Depois disso, ele voltou ao lugar por três ou quatro vezes. Os rumores se espalharam, e a família da menina se mudou para longe.

Caso 3. Catorze anos. No banco que havia para se refrescar em frente a uma confeitaria, conheceu a filha de um armarinheiro. Os dois tiveram mais de vinte encontros no parque Ueno, em bazares noturnos e em restaurantes baratos.

Caso 4. Quinze anos. Num cinema do parque Asakusa, duas garotas sentaram junto de Umekichi. Ele reencontrou uma delas em outro cinema. Ela o levou para uma casa que tinha duas entradas, cujas portas de vidro eram gradeadas.

Caso 5. No mesmo ano. Foi para uma casa bem maior. Quando Umekichi fingia estar adormecido, uma mão branca retirou da carteira dele uma moeda de prata de cinquenta *sen* e colocou dentro de um vaso de flor, de bambu trançado, afixado no pilarete do cômodo. Quando a mulher o deixou sozinho no recinto, Umekichi foi examinar a cestinha. Havia oito ienes e cinquenta *sen*, tudo em moedas de cinquenta. Ele pegou todo o dinheiro e foi embora.

Caso 6. No mesmo ano. Uma mocinha de dezessete ou dezoito anos e sua irmãzinha de doze ou treze assistiam a uma peça de teatro em Asakusa. Quando a mais nova percebeu o que Umekichi fazia a sua irmã, puxou-a e levou-a embora. Ele as seguiu. Eram as filhas do dono da loja de locação de livros. Ele frequentou o local para alugar livros de histórias populares. Convidou a mais velha para sair e conseguiu seis ou sete vezes. A mãe da mocinha a proibiu de sair de casa.

Caso 7. No mesmo ano. Por quatro meses, andou se divertindo com uma garçonete de um restaurante chinês de Asakusa. A fim de arranjar dinheiro para isso, tornou-se "capanga" de um moço caçador de saias.

Caso 8. No mesmo ano. Apoderou-se de uma quantia de 150 ienes de uma das moças daquela casa com duas entradas. Ela tinha vindo a essa casa por vontade própria. Seu pai era um apostador de corrida de cavalos. Umekichi sabia que de vez em quando o homem ganhava uma fortuna.

14

Depois que Umekichi fez quinze anos, suas confissões amorosas ganharam cores de crime. Contudo, tentarei conter-me para não revelar tudo, a fim de não destruir os sonhos dos senhores no leito aquecido.

Caros leitores, contarei a vocês, que estão em sua cama quentinha, sobre um garoto conhecido pelo apelido de Louva-a-Deus. Era respeitado entre os garotos da rua, mas dizem que ele não sabia nem mesmo empilhar os coxins, nem dobrar a colcha e o colchonete. Se alguém lhe ordenasse fazê-lo, juntava os coxins, o colchonete e tudo, e os enrolava. Pois ele nunca tivera tais coisas e nem sabia usá-las.

Entretanto, o pequeno Louva-a-Deus não era tolo como fora Yaoya Oshichi[33]. Conhecia muito bem a legislação referente à criminalidade infantil (nota do autor: anterior à atual Lei Juvenil). Havia sido preso mais de vinte vezes e exilado para a ilha Iojima, mas declarou perante o promotor público:

— Não vou me endireitar até chegar aos quinze anos.

E cumpriu a promessa. Desde que fora banido à ilha, aos quinze anos, começou a trabalhar com seriedade. Conta-se que mandou para o seu tutor judicial em Asakusa um saco cheio de belas conchas que pareciam grãos de arroz.

Agora, experimentem perguntar a uma criança de rua de Asakusa:

— Onde estão seus pais?

Pode acontecer que você fique atônito pelo absurdo da resposta.

— Ainda não tenho pais.

— Como, ainda não tem pais?

— É que outro dia meu amigo Shin-ko ganhou um pai. Mas eu ainda não tenho porque sou muito pequeno.

Porém, os senhores terão de saber que, mesmo que haja pais e leitos e colchões, a educação e a vigilância dos filhos são atualmente artigos de luxo.

É de conhecimento de todos, caros leitores, que os sem-teto vivem com os restos de alimentos das lojas de comes e bebes. Todavia, quem sabe que a gente pobre e os operários vêm comprar dos sem-teto o resto dos res-

---

33. Filha de um comerciante de verduras e frutas (*yaoya*). Para chamar atenção do acólito do templo, tocou fogo no templo, provocando um grande incêndio durante o período Edo. Foi condenada e morta na fogueira (1668-1683).

tos, pagando um ou dois *sen*? Já que vivemos num mundo como esse, não seria nada extraordinário que houvesse quarenta ou cinquenta mil delinquentes menores e adolescentes somente na jurisdição da Polícia Metropolitana de Tóquio.

Muitos deles tinham sido empregados como garoto de recados, atendente de loja, aprendiz de artesão, garçom, operário-mirim de fábrica, entre outros.

Por exemplo, experimentem escutar secretamente por meia hora as conversas das meninas-babás que brincam no parque Asakusa.

"Porém, se tudo está deste jeito, o que é o Japão de hoje? O que é Tóquio de hoje? A sociedade japonesa e esta Tóquio atuais, como um todo, não passam de velharias. No meio de todas essas velharias, somente Asakusa é delinquente juvenil. Mesmo sendo delinquentes, os adolescentes ainda têm graça, vivacidade e progresso." É o que afirma Jun'ichiro Tanizaki.

E, segundo o artigo do jornal *Asahi*, a JOAK[34] instalará dois microfones no átrio do templo Kannon de Asakusa, a partir das onze horas e cinquenta minutos da noite da passagem do ano de 1929. O objetivo é transmitir aos seus ouvintes, meus caros leitores, o ruído dos passos dos fiéis em visitação, o tilintar das moedas atiradas nas caixas de donativos, o bater das palmas em oração, o reverberar dos 108 toques do sino, e o canto dos galos, entre outros aspectos do ambiente e do espírito da passagem do ano.

---

34. Rede nacional pública de rádio e televisão do Japão, predecessora da NHK.

Cheguei a pensar em reunir os membros da Gangue Escarlate em frente ao microfone e fazê-los gritarem: "Viva! 1930!" Isso à parte, o motivo dessa transmissão é que Asakusa, o "coração de Tóquio", representa a atmosfera do fim do ano também no ano da pior recessão.

Soube que em Asakusa existe um bar exclusivo para mendigos. Eles põem sobre a mesa uma garota pelada e, enquanto ficam girando e girando a mesa, se embebedam.

Por outro lado, suponhamos que haja uma casa próxima à ponte Komagata anunciando "aulas de canto estilo Kiyomoto". Mas o que aí se encontra são tipos suspeitos, aliciadores de clientes. Garotas de dezesseis ou dezessete anos aparecem para os clientes e dizem "Por favor, por aqui", e sem o som de um *shamisen* nem nada, apenas oferecem saquê e pronto.

Nas noites de chuva, os empregados dos albergues da zona de Honjo, por exemplo, trazem enormes guarda-chuvas de papel oleado e vêm aliciar os sem-teto que estão abrigados sob os beirais das cabanas de espetáculos ou dos muros de adobe dos templos. Um delinquente juvenil segue, escondido, atrás de uma artista que vai entrando numa casa de diversão.

Todavia, o perigo de Asakusa não está nessas coisas nem no que aconteceria se você ficasse perdido na profundidade das montanhas durante a calada da noite. Se fosse entre o fim do outono e o início do inverno, o perigo estaria nos bazares de fim de ano em Yoshiwara ou no Kannon; ou no próprio dia 31, no grande redemoinho de pessoas aglomeradas. De que modo Umekichi foi engolido nesse redemoinho e foi decaindo até se tornar conhecido como Ume-ko, o Gato Prateado?

15

Umekichi nunca fala de seu pai ou de sua mãe. Decerto ele é filho natural ou órfão; ou então talvez prefira ignorar os pais que tem.

Aos treze anos, trabalhou como garoto de recados de uma loja de guarda-chuvas, situada em Ryusenji, no bairro Shitaya. Uma região que foi descrita pela escritora Ichiyo Higuchi no seu romance *Takekurabe*. A patroa da loja estava enferma já de longa data e vivia acamada. Ele não gostava de ver seu aspecto magro e pálido. Além de tudo, os sete filhos da casa usavam e abusavam dele. Umekichi ficou ali só três dias.

Em seguida, empregou-se numa loja de saquê do bairro Kanda. (Já relatei que aos catorze anos teve a segunda namorada, a filha de um armarinheiro.) Para agradar a menina, Umekichi surrupiou o dinheiro e foi expulso do emprego.

Quando perambulava no parque Asakusa, um jovem vendedor de jornais falou com ele, e Umekichi foi admitido no círculo do rapaz. Nem passaram três meses, teve uma briga feia com um vendedor mais velho, em que ambos ficaram ensanguentados, e o enxotaram.

Foi acolhido por um mendigo do parque Asakusa, ficou três noites no chamado "Hotel Azuma" — na verdade, um grande lixão de Komagata à margem do rio — e, então, iniciou uma vida de andarilho, começando pelos bairros Honjo e Fukagawa; eventualmente, chegou a errar pelas bandas da província de Chiba.

"Aquele meio ano de vida errante de mendigo inocente

e muito divertido não voltará a acontecer nunca mais na minha vida!", costumava dizer Umekichi.

Depois, retornou para Asakusa. Serviu de isca (aquele que compra uma mercadoria fingindo ser cliente) para um vendedor ambulante indiano de anéis. Este amou Umekichi como se fosse uma garotinha. No entanto, em determinado momento, o menino gritou:

— Imbecil! Se quer fazer amor com um japonês, deve primeiro branquear a pele do corpo! — E separou-se do indiano.

Ficou sentado com um ar perdido na estação Asakusa, quando se aproximou um velho de ar bondoso e o levou para casa. O velho era um renomado caçador de gatos. Não demorou muito, foi levado preso pela polícia. Então, um colega do velho tomou conta dele. Umekichi rondou pela cidade como aprendiz de caçador de gatos.

Quando se acha um gato, atira-se um pardal preso num cordão. O pardal bate as asas. O gato salta sobre ele. Puxa-se o cordão devagar. O gato é atraído. Apanhá-lo com rapidez é que exige destreza.

O gato apanhado é morto na hora com uma pancada. No escuro do parque ou num lugar escondido da margem do rio, é esfolado. Esconde-se a pele sob o quimono, enrolada ao redor da cintura. O fabricante de *shamisen* pagava bem.

Não tinham residência fixa. Iam de um lugar a outro e pousavam, ele e o velho, em qualquer albergue que encontrassem.

Foi nessa época que Umekichi se tornou parte de um grupo de delinquentes juvenis. Tinha quinze anos.

Pouco depois, dois caçadores de gatos foram levados à delegacia de Dique Nihon, em Yoshiwara. Todavia, Umekichi não foi acusado por ser ainda criança.

Voltou mais uma vez a Asakusa, mas por algum tempo sentia que a polícia estava de olho nele e resolveu ingressar no grupo de vendedores ambulantes de um falso orfanato. Enquanto fingia ser órfão e tentava forçar as pessoas a comprar materiais escolares, conheceu um estudante que vendia remédios. Ao perceber que poderia ganhar mais dinheiro, transformou-se em um estudante pobre que vendia remédios para custear o estudo. A carteira engordava, e ele descobriu que boné e uniforme colegial eram muito mais úteis para conquistar as garotas.

Assim, sem saber quando, até seu apelido de Ume-ko, o Caçador de Gatos, havia mudado para Ume-ko, o Gato Prateado. Tinha subido de nível.

Hoje, Umekichi é membro da Gangue Escarlate de Yumiko e já está com idade de ser um falso universitário, mas na realidade está muito perto de ter uma profissão séria. Ele é discípulo de um barbeiro e mora na casa do seu mestre. É aquela barbearia onde a irmã de Aki-ko, aquela "louca vaidosa", fazia sua maquiagem. Foi Yumiko que o colocou lá.

Para que isso acontecesse, é certo que Umekichi empregou alguma das "artes de seduzir mulheres" em uma das garotas:

"Aperto. Toque. Conversa. Programa. Olha, que vai cair. Dedicarei-me a seu caso. Baby. O que você fez? Um tropeço. Acompanhá-la. Perguntas. Dê o seu melhor. Levante a saia dela. Corra atrás. Obrigado. Jogue a toalha... etc. e tal."

Foi no Teatro Tamaki, onde eram apresentadas as canções folclóricas Yasukibushi. A garota nem tomou conhecimento.

Contudo, quando no *finale* as oito dançarinas vestidas de quimono de mangas largas e vistosas começaram a cantar "Ginza, Ginza, quanta saudade de Ginza...", com o acompanhamento de jazz em estilo misto — japonês e ocidental —, a garota baixou o rosto mordendo os lábios. Ele notou que os cílios dela estavam molhados.

"Que sorte! Ela é ingênua." Umekichi tentou abraçar delicadamente os ombros da garota, no entanto...

16

Ela se levantou sem cerimônia, nem olhou para Umekichi, e foi embora do teatro.

Contudo, segundo o cálculo de Umekichi, experiente no assunto, ela já era sua presa. O rapaz estava de *hakama* e usava um boné universitário com um brasão indefinido, fingindo ser um estudante de universidade.

Quando uma mulher deseja ter um amante... dizem que as moças do Taiti põem uma flor branca na orelha direita. Mas não é preciso buscar um exemplo numa ilha tão distante do sul do Pacífico. Em Asakusa, uma rosa artificial no cabelo pode representar a fragilidade de uma jovem. Por outro lado, a mesma rosa vermelha pode revelar que se trata de uma garota desencaminhada.

É certo que, mesmo no parque Asakusa, já passou a chamada "era dos valentões", em que os tipos andavam praticando extorsão. Caso os filhos ou irmãos menores dos senhores estivessem caminhando de um jeito arrogante, de boné escolar amassado, podiam ser parados:

— Ei, você!

— Você é garoto de quem? — diria o outro para extorquir algum trocado.

No caso, "garoto" significa "capanga".

Entretanto, a moça em questão vestia um quimono de musselina e uma faixa suja, só o *obiage*[35] de seda artificial era novo, e além disso o amarrava alto e largo, como se exibisse o vermelho. A maquiagem carregada no rosto dava a impressão de uma estranha tristeza. Tudo isso mostrava a fragilidade do estado mental da garota, o que bastava para Umekichi investir nesse ponto.

Assim, ele retirou do bolso um lenço feminino, alcançou a garota e disse sem acanhamento:

— Foi você que deixou cair isto?

— Oh! Obrigada... Ora, você estava há pouco no Teatro Tamaki sentado ao meu lado, não é mesmo?

A garota enrolou o lenço, meteu-o na manga do quimono e recomeçou a andar com passos rápidos. Umekichi pareceu ficar um pouco desnorteado, mas disse:

— No teatro, você estava com os olhos rasos d'água. Eu percebi. Então, alguma coisa a deixou triste? Você deixou cair esse lenço quando saiu do teatro e enxugou as lágrimas? Achei que estava um pouco úmido de lágrimas.

— Por isso, você teve a gentileza de se propor a ouvir essa história triste, não foi?

— Uf.

— Olhe, só! Parece que me antecipei demais?

— Ei!

---

35. Faixa estreita de tecido macio de seda para sustentar o cinto do quimono feminino. Serve também para enfeitar o quimono festivo.

— Quer o lenço de volta, não é? Mas vou ficar com ele. Você deve ter mais três ou quatro de reserva no seu bolso, certo? É melhor você pensar em outra tática para enrolar alguém.

— Ah... ha, ha, ha! Eu me enganei redondamente! É uma ótima sugestão. De qualquer modo, o lenço serve para enxugar lágrimas.

— É verdade. — A garota puxou o lenço e fez de conta que esfregava os olhos, enquanto dizia: — Sabe a "Cantiga de Ginza"? Eu sempre choro quando escuto essa música.

— Doente por Ginza, você também?

— No Teatro Tamaki, em todas as outras canções folclóricas, como "Yasuki" ou "Ohara", até mesmo no jogral cômico, a plateia bate palmas e faz farra como se estivesse com gueixas nos banquetes, dos operários, bem entendido? Mas que diferença há? Quando começam a cantar em jazz "Ginza, Ginza, quanta saudade de Ginza", todos param em silêncio e ficam tão sérios como os mendigos perante o senhor feudal. Afinal, o que tem em Ginza? Que importância tem para os frequentadores do Teatro Tamaki? Com certeza, muitos deles nunca estiveram em Ginza. Do mesmo modo que deve haver senhoritas de Ginza que nunca estiveram em Asakusa. Não sei por que, mas fiquei muito comovida por isso.

— Quer dizer... você deve ser metida a ter ideologias.

— E você é o Gato Prateado.

— A-han. Pelo jeito, eu me tornei um parvo. Enganei-me completamente. Seu cabelo é uma peruca, não é? As roupas também são de aluguel? Vim pescar e acabei pescado.

— Estou indo agora devolver tudo que tinha alugado.

Vem comigo? Mesmo agora que você sabe de tudo, vai querer me seduzir de verdade?

— Antes de tudo, você me garante que é mulher de verdade?

— Quero que você mesmo descubra!

17

A mocinha do Teatro Tamaki era Yumiko disfarçada.

Pergunto-me se os japoneses não gostam de se disfarçar. Lembro que num baile a fantasia em um hotel à beira-mar em Kamakura não havia um único japonês com disfarce.

Contudo, na moderna Ginza há uma casa de trajes de aluguel, ou seja, uma casa de disfarces — escrevi em certa ocasião, por brincadeira. Todavia, pensando melhor, a maquiagem seria suficiente em Ginza. Lá não há tantas sombras, não são necessários disfarces.

Disfarce é mais próprio de Asakusa. Não é preciso procurar com olhos de águia para descobrir algum indivíduo disfarçado.

Um exemplo ao alcance da mão é que aqui há muitas mulheres que mendigam, travestidas de homem. Essas são passáveis, é apenas algo risível. Porém, ver um homem travestido de mulher com uma espessa camada de pó de arroz, usando uma peruca de penteado japonês e um quimono vermelho berrante, desaparecer numa ruela escura atrás do templo Kannon, levando consigo outro homem... é uma visão de dar arrepio, como se víssemos um lagarto monstruoso.

O fato é que nem precisa ser num local assim escuro. Há em pleno centro da zona de diversão de Asakusa uma imponente casa de trajes de aluguel, que tem sobre o telhado uma vistosa torre com um anúncio em letras vermelhas de neon, a qual funciona também como casa para disfarces. A diferença entre essa casa e as outras do mesmo ramo é que ela oferece serviços para atores e bastidores do teatro cômico, motivo pelo qual lida com todos os apetrechos, desde perucas até pistolas.

Segundo o que conta Yumiko:

— Sou uma espécie de manequim desta loja. Pago uma garantia e uma tarifa pelo empréstimo. Não tem melhor propaganda para a casa. Em troca, quando os membros da Escarlate decidem atacar a mansão dos Kiras[36], a loja arranja para nós trajes completos. O problema é que Amanoya Rihei[37], da era Showa, é muito ganancioso.

Um dia desses, apresentarei a vocês essa casa de disfarces, e também as pessoas que a frequentam.

Entretanto, deixando isso por enquanto, Umekichi foi atraído pelo disfarce de Yumiko e, seguindo seu conselho, entrou numa profissão mais ou menos séria, mas a atração que sentia por disfarces exerceu considerável influência até na escolha da profissão.

A primeira coisa que ele disse foi:

— Eu poderia ser médico-cirurgião.

---

36. Refere-se aos 47 fiéis vassalos de Akou, que assaltaram em 1703 a mansão do nobre Kira Kozunosuke para vingar seu senhor, que fora forçado injustamente a se suicidar.

37. Mercador de Osaka que comercializava armas. Segundo se conta, arranjou as armas para os vassalos de Akou.

— Huum. Quer operar? É bem próprio do Gato Prateado. Você não consegue esquecer seu prazer de esfolar gatos e quer fazer o mesmo com pessoas.

— Corta-se a barriga em linha reta e arranca-se a pele ainda quente de sangue, é uma sensação e tanto... Mas, pensando bem, não sou capaz de cortar barriga de gente; eu poderia ser cozinheiro ou barbeiro.

Assim, Umekichi se tornou aprendiz numa barbearia e passou a morar no local de trabalho.

Médico-cirurgião, cozinheiro, barbeiro... há semelhanças entre eles. Primeiro, o instrumento de metal com brilho branco; em especial, a lâmina afiada.

Podia-se afirmar que era graças ao apego que sentia pelo "cheiro da lâmina afiada" que um sujeito como Umekichi — que vivia ora flutuando, ora afundando no mundo da camada mais baixa — se mantinha sem cair até o nível dos sem-teto ou da mendicância; e também porque não era capaz de adormecer por completo no "vazio do outro mundo" das caixas de lixo de Asakusa. Essa sensação era uma veia de frescor na sua vida.

E enfim, o jaleco branco. Os cozinheiros e barbeiros das vizinhanças iam para o parque Asakusa vestindo jaleco branco, e não só porque ele se destaca no meio da multidão. Da mesma forma que a lâmina afiada, essa roupa branca cativa as moças da cidade. Umekichi sabia disso.

Assim ele se tornou barbeiro. Todavia, enquanto passava a navalha na nuca de Yumiko, ele começou a amá-la, pois ela lhe parecia uma lâmina afiada. Umekichi sentiu nela o cheiro de lâmina afiada.

Foi por isso que ele aceitou, quando Yumiko lhe pediu, remando o barco *Kurenaimaru*, levá-la junto com o homem que aparentava ser malandro.

A lâmina afiada é fácil de lascar. No meio do grande rio, sob um céu cinzento e hibernal, o rosto de Umekichi foi empalidecendo, pois o rapaz estava preocupado com Yumiko.

Um dirigível e a torre de doze andares

18

As solas dos pés, que lembravam um delicado objeto artesanal cor-de-rosa, refletiam o brilho da brasa do fogareiro, e... ou seja, esse era o aspecto de Yumiko adormecida enquanto aquecia os pés, quando o homem entrou na cabine do barco.

O homem viera decidido a confrontar um adversário perigoso, pois lera um sinal naquelas longas meias pretas que estavam secando. Toda sua tensão desapareceu. Além disso, Yumiko estava sozinha.

Não deve haver qualquer esconderijo nessa pequena cabine.

— Como desconfiei, é uma peça à venda.

Contudo, as pernas desnudas eram finas e belas demais para que ele risse com sarcasmo. Eram uns pés límpidos de garoto.

O homem vestia um mantô estilo japonês de um marrom sóbrio e usava um boné de caçador do mesmo tecido. Sua cabeça batia na tábua que servia de teto da cabine. Mas continuou em pé, com as mãos nos bolsos, olhando os pés de Yumiko.

À medida que ele se acostumava com a penumbra, a cabine foi clareando.

Yumiko parecia sentir frio nos pés desnudos e cruzava as canelas, sobrepondo os dedos mínimos. As cavidades atrás dos joelhos apareciam lado a lado.

"Ora, ela parece criança!", pensou o homem, ao perceber a graça desses pés esticados e ao mesmo tempo encolhidos; porém, havia certo volume desafiador na região onde a saia levantada deixava entrever as ligas das meias. O barqueiro repentino, Umekichi, retirou a prancha de acesso da margem, e, ao mesmo tempo que soou o barulho de colocá-la no teto, o barco balançou forte. O homem cambaleou. Yumiko levantou a cabeça.

— Oi, desculpe. Será que dormi mesmo?

Ela dobrou as pernas e as encolheu. Depois, puxou várias vezes a saia — estaria puxando de propósito para se exibir, sabendo que não podia cobrir os cocurutos dos joelhos?

E virava o rosto, evitando o homem, e mantinha a cabeça inclinada para baixo.

— Fiquei esperando muito ansiosa. Assim que anoitece, diminui a quantidade de barcos no rio. Não se pode demorar muito... Oi, querido, feche essa janela, por favor. Nosso barqueiro é um tanto ciumento.

O homem puxou a porta de madeira da entrada da cabine, que era semelhante a uma claraboia. No mesmo instante, a cabine se tornou uma câmara escura e fechada. O homem precipitou-se com ímpeto para abraçar a jovem. Ela não estava mais no lugar, e ele tombou sobre os acolchoados.

— Estou procurando a lâmpada — disse Yumiko. — Eu lhe prometi que esperaria no barco, mas não prometi que estaria acordada. Posso dormir? Estou com tanto sono! Na noite passada houve uma confusão, e não pude nem pensar em dormir. Perdi meu estojo de maquiagem e, quando subia no barco, escorreguei e molhei as meias...

Quando a lâmpada de querosene foi acesa e posta sobre a mesa suja, Yumiko estava vestida com um casaco alvíssimo, sentada feito uma senhorita, com as mãos sobre as coxas.

— Não temos saquê — disse ela.
— Para onde vamos?
— Rio acima.
— Seja como for. Não gosto de brincar de adivinhação. Explique qual é seu objetivo. Abra o jogo e me diga claramente se vai propor uma diversão, ou se precisa de ajuda.
— Eu abri o jogo. Quero testar se vou gostar de você ou não.
— Está brincando comigo.
— Por quê? Você já gosta de mim. Por isso, basta que eu goste de você, não é? Faça com que eu passe a gostar de você.
— A questão é que, se você sente hostilidade por mim, por que não diz isso claramente, de homem para homem?
— Se eu fosse homem diria que tenho muita hostilidade. Mas, como sou mulher, o que sinto é pavor. Entende?

Abrindo bem seus olhos grandes, Yumiko fitou demoradamente o rosto do homem. Porém, quando notou a aproximação de um barco a motor, deixou cair as pálpebras, e os ombros começaram a tremer.

— Na verdade, eu o conheço há bastante tempo — completou ela.

19

Dizer que "Yumiko deixou cair as pálpebras" não é suficiente. O movimento de piscar era tão rápido que até dava a impressão de se ouvir o bater dos cílios; no entanto, ele podia perceber com clareza o movimento dos cílios. Era por causa dos grandes olhos. Porque os cílios eram escuros e densos. Porque o branco dos olhos era levemente azulado. Por isso, o movimento de subir e descer dos cílios abanava o homem como se fosse um leque de sentimentos.

— Eu o conheço há bastante tempo — repetiu ela.

O homem se ergueu, chegou até Yumiko e, abruptamente, levantou-a nos braços. Sentada nos joelhos do homem, ela esticou os pés em direção ao fogareiro. Ajeitou as bainhas do casaco branco num gesto infantil, e disse:

— Sim, foi assim mesmo. Seu jeito de abraçar uma mulher continua o mesmo, não é? Tem uma coisa de que eu gostaria que você se recordasse. Foi na noite do dia em que o novo dirigível sobrevoou Tóquio durante 24 horas. O dirigível tinha duas lampadinhas, uma vermelha e outra verde. Pareciam mesmo lampadinhas, olhando da terra. O céu estava negro, logo iria chover. Quando o dirigível passou sobre o grande rio, a luz verde apagou como se fosse uma estrela cadente; e, enquanto eu olhava espantada, a luz vermelha também desapareceu entre as nuvens. Qualquer pessoa de Tóquio se lembra daquelas luzes. Naquela noite, no alto da torre de observação, que ficava no terraço de um grande edifício de concreto, você abraçou uma mulher, assim como faz agora. Você se lembra disso?

— Fico admirado com sua habilidade de artista. Desta vez é o monólogo de uma princesa de um conto da carochinha?

— Conto da carochinha? Pode ser. Na época, eu cursava

a quinta série da escola elementar. Eu estava escondida debaixo da torre, tremendo toda e observando vocês. E agora você me abraça do mesmo jeito que fazia com ela. Não acha que subi na vida feito uma princesa de contos da carochinha? Quanto a isso, me sinto realizada.

— Como eu tratei essa mulher, você diz ter visto cheia de inveja. Nesse caso, faço questão de que se lembre de tudo.

— Está bem. E vai fazer a mesma coisa comigo? Então, você colocou sua mão esquerda sob o queixo dela e a fez levantar o rosto, e... — Yumiko se voltou para ele, olhou-o bem de perto, com uns olhos gélidos, e continuou: — Vou parar por aqui. Não tem graça eu ficar louca como aquela mulher. Mas você se lembrou do edifício de concreto?

Acima da cabeça deles, ouviam-se os passos de Umekichi.

A maioria dos barcos de carga tem seu compartimento para habitação na proa, mas o do *Kurenaimaru* era na popa.

Por isso, Umekichi andava sobre o teto de madeira da cabine, onde Yumiko e o homem estavam à luz de um velho lampião a querosene, dando dois, três passos para frente e para trás, tentando pôr o barco no rumo certo com o remo.

— Estamos passando pela delegacia Kisakata, notou? Ali é a escola elementar Fuji.

— É mesmo. — O homem engoliu a isca sem querer.

— Está vendo? Deixou de ser uma história da carochinha! Mas aquela escola, para começar, se parece um pouco com essas historinhas. Ganhou uma nova estrutura de três pisos em concreto armado, mas só recebeu crianças uma única vez, na manhã do dia primeiro de setembro; depois, enfrentou aquele incêndio causado pelo grande terremoto. Mas foi a única construção em toda a parte de trás de Asakusa que o fogo não destruiu, por isso foi usada como abrigo para nós, vítimas do sinistro. Por falar em conto da carochinha, quando a gente assistiu do terraço da escola à explosão da torre de doze andares, você também gostou de ver, como uma criança, lembra-se disso? A corneta do corpo da engenharia militar soava alegre...

— Humm. Quer dizer que você é irmã de Ochiyo?

— Não tem nada de "quer dizer que". Pare de se fingir de inocente.

20

A torre de doze andares, símbolo da antiga Asakusa, teve sua estrutura rompida no terremoto de 1923.

Na época, eu era ainda universitário e morava numa pensão do bairro Hongo. Como sempre fui apaixonado por Asakusa, menos de duas horas após o sinistro terremoto, que ocorreu às 11h58, me dirigi até lá com um amigo para ver os estragos.

Na colina de Ueno ouvi as pessoas comentarem:

— Que coisa espantosa! Estão falando que a ilha Enoshima está ora flutuando, ora afundando.

— Pois é. A torre de doze andares simplesmente teve sua coluna vertebral quebrada. Havia muita gente lá em cima, coitados, nem tiveram chance de escapar. Todos foram jogados longe. Fui dar uma olhada lá e acabei de voltar. Até o lago Hyotan estava cheio de cadáveres, todos boiando.

Havia caixas com ovos abandonadas na beira da rua. Nós pegamos esses ovos — não roubamos, ninguém nos deu, e é claro que não compramos — e devoramos seis ou sete, assim como estavam, crus.

O átrio do templo Senso estava abarrotado de refugiados, mas o que atraía meu olhar eram umas prostitutas de Yoshiwara e gueixas de Asakusa, pelo colorido que lembrava um jardim florido em desordem.

Pensando agora, entre a multidão devia estar Yumiko, que cursava a quinta série da escola.

— É verdade. Eu acabei ficando deste jeito, e você escreve tudo isso num romance... Ai, que brincadeira do destino — disse ela. Então, semicerrou os olhos, recordando com saudade os "dias passados". — Mas aquele "eu" do tempo dos doze andares para onde teria ido? Como foi que desapareceu? Pensando em tudo isso... pode escrever o que quiser. Mesmo que me expulsem do parque por esse motivo, eu estarei algum dia em algum lugar, lendo este romance para alguém.

A tal torre de doze andares... sim, quando eu e o amigo chegamos, os prédios da redondeza ardiam em chamas. Mas o fogo ainda não havia alcançado as casas de espetáculos do Rokku.

Nós nos sentamos, despreocupados como as libélulas, nas pedras do lago Hyotan e, com os pés mergulhados na água e mordiscando biscoitos, ficamos olhando o grande incêndio que ocorria a cinco ou seis *ken*[38] de distância.

Depois que se apaziguaram um pouco os efeitos do ter-

---

38. Unidade de comprimento equivalente a 1,82 metro.

remoto, a equipe de demolição da engenharia militar passou a dinamitar os "esqueletos" das grandes construções. A torre de doze andares foi um deles. Bem, Yumiko estava contando sobre isso na cabine do barco.

— O som alegre da corneta chegou até a escola. Por todos os lados, só se viam terras queimadas e, aqui e ali, algumas barracas com telhado de zinco, mas do terraço da escola podia se avistar o parque, pois nada mais obstruía a visão. No terraço da escola uma porção de gente estava esperando por mais de uma hora para ver a torre ser dinamitada. Então, ouviu-se um barulho ensurdecedor de explosão de dinamite, e vi num relance a cascata de tijolos desmoronando. Ah, sim! Apenas um lado continuou em pé, como se fosse um fino sabre. Mal tive tempo de pensar assim, e uma segunda explosão derrubou o sabre. Foi nesse instante, lembra? As pessoas que ocupavam o terraço da escola gritaram em coro "Viva! Viva!", e em seguida todos deram uma gargalhada, não foi? Porque, assim que tombou aquele sabre, as pessoas subiram no monte de tijolos, que ficou com o aspecto de um monte preto. Fiquei espantada! A conquista do monte de tijolos! Olhando de longe, todos nós ficamos contentes a ponto de chorar. Mas por que a gente grita "Viva!" com a queda da torre, ou sobe correndo no monte de tijolos ainda fumegantes de pólvora?

— Você me deixa impaciente com essas historinhas. É coisa de criança.

— Não tanto. Caso você desse um golpe certeiro... aí ela o amaria ainda mais. É a mesma coisa.

— O que disse?!

— Ah, sim. Naquele tempo, você costumava acordar minha irmã a altas horas da noite, cutucando a cabeça dela com uma espátula de servir arroz. Sempre que eu acordava, sabe?, e me dava conta de que dormia no chão frio de concreto, queria que me comprasse e me levasse para uma casa que tivesse tatames, não importa o que fizessem de mim. Três lados cercados por uma folha de zinco queimada e cobertos por uma esteira de palha...

O grande terremoto da era Taisho

21

O *Kurenaimaru* chegou perto da ponte Kototoi. Por cima da cabeça vinham ruídos de rodas e de buzinas de carros. Os passos dos pedestres soavam como chuva.

Sentada no colo do homem, Yumiko se balançava com o movimento do remo.

— Eu era uma menina de verdade. Muito mais do que agora, eu era uma mulher. Você não deve lembrar. Foi um lindo dia de outono, ótimo para lavar roupas. Foi no pátio interno, que também era de concreto... ah, sim, as salas de aula cercavam o pátio quadrado como se ele fosse o fundo de uma tina, você lembra? Passaram várias cordas de linho entre as janelas das salas e penduraram as toalhas para secar. Como a distribuição era gratuita, todas as toalhas eram iguais, tinham duas listras vermelhas. E só por isso chorei. As linhas vermelhas vivas balançavam ao vento no pátio inteiro! Aquela cor tocou meu coração de menina. Isso porque, veja, em todos os lados só se viam paredes de barro queimadas e desmoronadas, telhas espalhadas, fios elétricos derretidos e rompidos, chapas de zinco queimadas e enferrujadas, e uma poeira de areia misturada com cinzas... Foi nos dias em que tudo parecia normal, mesmo que se visse gente sendo morta a pauladas, que nascessem gêmeos no meio da rua, que cadáveres de pessoas e de cavalos fossem levados pelas águas do grande rio, ou que não se tivesse nada para comer durante três dias. Até mesmo o amor é diferente dos amores em tempos normais.

No entanto, na primavera do quinto ano da era Showa [1930] ocorreu o esplendoroso festival para celebrar a reconstrução de Tóquio. A nova Tóquio nasceu a partir daquele terremoto. É óbvio que Asakusa também renasceu.

Contudo, o vice-prior do templo Senso escreveu no prefácio do livro *A história do templo Senso*:

> No trigésimo sexto ano do governo da imperatriz Suiko, a deusa misericordiosa Kannon do templo Kinryuzan-Sensoji fez sua aparição no atual rio Sumida. Desde aquele dia, ao longo de mais de 1.300 anos, nosso templo é o mais importante centro de manifestação da fé de todo o povo deste império, e vem recebendo cada dia mais o privilégio da graça divina. Atualmente, visitam nosso templo, em média, cinquenta a sessenta mil devotos por dia.
> Na ocasião do grande terremoto do décimo segundo ano da era Taisho, quando a maior parte da capital imperial foi reduzida a cinzas, nosso complexo de pavilhões, juntamente com mais de cem mil refugiados, ficou cercado pelas violentas chamas do incêndio. Tudo indicava que ali seria reproduzido o quadro de angústia e morte horrenda pelo fogo infernal, porém a venerável imagem de Buda interveio com seu magnífico poder e barrou a fúria das labaredas, salvando o templo e o povo. Diante dessa evidência de milagre, não houve quem não endireitasse seu modo de ser e se tornasse um devoto do fundo de seu coração. Desde então, fiéis de perto e de longe acorrem em busca de traços desse milagre; e não é de se admirar

que um grande número de pessoas procure aprender mais sobre a história do nosso templo.

Por isso, na célebre caixa de donativos — com 4,954 metros de comprimento, 3,169 metros de largura, 69,7 centímetros de altura, dezenove barras transversais e um enorme buraco cavado na base — do pavilhão de Kannon foi atirado, segundo informação do templo, apenas no mês de outubro de 1929, por exemplo, um total de 16.002 ienes. O faturamento decorrente da venda de incensos, velas, amuletos e cartas de sorte chegou a cinco ou seis mil ienes. E não é só isso. A obra de reconstrução do pavilhão, iniciada no verão de 1928, com duração prevista de três ou quatro anos, foi orçada em seiscentos e tantos mil ienes e está sendo custeada também graças às contribuições de fiéis.

— Se foram salvas mais de cem mil pessoas na ocasião do terremoto, eu também sou uma delas. Dividindo-se o valor por cabeça... — disse-me Yumiko certa vez —, o custo de salvar a vida de uma alma foi de seis ienes... Mas nem dava tempo de ficar pensando em tal cálculo absurdo. Do palácio imperial soaram três tiros de canhão em sinal de emergência. A torre de doze andares e o Hanayashiki se incendiaram, e logo até Yoshiwara virou um mar de fogo; então as chamas se alastraram para o leste, e lá pelas duas da tarde os pequenos pavilhões do Senso começaram a se incendiar um depois do outro; do lado sul, o fogo vinha de Kuramae, margeando o rio. Eu tive a honra de ver o reverendo prior. Nós estávamos refugiados no jardim do Denpoin. O velho prior estava recostado em uma cadeira de vime que fora colocada no gramado; mas, quando viu o pavilhão de Kannon envolvido em fumaças, ele se levantou de repente e começou a recitar o sutra com toda sua força de compenetração. Então, logo o vento amainou e as fumaças desapareceram do pavilhão de Kannon.

De acordo com Yumiko, naquele primeiro dia de setembro, o velho prior, que não estava em bom estado de saúde desde que retornara de uma viagem à Índia naquela primavera, teve um desmaio pela manhã quando se dirigia ao banheiro.

22

De manhã — na realidade era uma da manhã no Denpoin, quando ele se dirigia ao sanitário —, o velho prior fora acometido de uma leve isquemia cerebral e desmaiara no corredor. Só depois das cinco ele acordou do estado de coma. Até o amanhecer, seus discípulos nada souberam do acontecido.

Na tarde desse mesmo dia, ocorreu aquele abalo sísmico. O prior foi carregado nas costas de um discípulo até o gramado da margem do pequeno lago do Denpoin.

Não demorou muito para o cômodo contíguo ao aposento do idoso enfermo e o espaço debaixo do soalho do pavilhão principal se encherem de refugiados, chegando ao estado de não se ter por onde passar entre eles.

Apesar de seus vinte e quatro pavilhões terem se reduzido a cinzas, os prédios restantes do templo Senso acolheram quinze mil vítimas.

Cerca de sessenta monges perderam tudo, inclusive seus hábitos, roupas brancas de baixo e hábitos pretos cerimoniais. Restaram apenas seis ou sete estolas de brocado. Vestindo roupas ocidentais sujas e uns *yukata*, eles ajudavam os refugiados.

Dos seis empreendimentos sociais do atual templo Senso, quatro prédios — o hospital Sensoji, a sede da Associação Feminina Sensoji, a escola maternal Sensoji e a biblioteca infantil Sensoji — encontram-se no átrio do templo, pois o espírito de prestar assistência à comunidade na ocasião do terremoto continuou, apenas mudando de forma para se adequar ao tempo. A escola elementar Asakusa, situada atrás do pavilhão Kannon, onde estuda Toki-ko do barco *Kurenaimaru*, é uma relíquia do terremoto.

Desde a manhã do dia 4 de setembro, o Exército começou a distribuir, no átrio do templo, alimentos para as vítimas.

Depois disso, fizeram uma rápida limpeza na escola elementar Fuji, retirando as paredes queimadas e destruídas, os vidros das janelas quebrados, os quadros-negros e as mesas, entre outros, e no dia 8 do mesmo mês acolheram os que estavam nas barracas provisórias ou dormiam a céu aberto. Quase mil pessoas foram empilhadas dentro das salas de aula do primeiro ao terceiro piso. Era uma escola para duas mil crianças.

— Eu era uma menina que adorava ver o vermelho das toalhas; mas a minha mana era uma mocinha do bairro popular, que tinha o hábito clássico de dormir com dois guizos guardados na gaveta do travesseiro[39] — contava Yumiko suas recordações ao homem. — Sou filha do terremoto. Renasci no meio do terremoto.

---

39. Os travesseiros antigos eram de madeira forrada, alguns providos de pequenas gavetas.

Lembra o que eu disse no Aquário? "Serei homem. Não serei mulher." Ver tantas centenas de pessoas dormindo no chão de concreto, sem nada com que se cobrir, roçando as pernas umas nas outras... as meninas acabam odiando ser mulher. Não tinha água encanada nem luz elétrica. As velas iam se apagando uma a uma, e à meia-noite ficava uma total escuridão. Às vezes eu acordava e via que estava dormindo ao lado de um mendigo. É verdade! Sabia que mendigos estavam no meio dos refugiados? E olhe que era um casal muito bem-educado. Eles eram os únicos que saíam às altas horas para o jardim do terraço sem fazer barulho, não é? Além da minha mana, que você acordava com uma espátula de arroz...

— Desde outro dia, você a chama de mana, mana doida. Está falando da Ochiyo?

— Se pensa que só "estou falando", está muito enganado. Mesmo assim, fiquei muito admirada com os mendigos. No começo, eram mil refugiados, que foram diminuindo com o tempo. Sentia-me triste por ser deixada para trás.

Segundo ela conta, inicialmente foram evacuados os refugiados do andar térreo. A subprefeitura de Asakusa não tinha mais onde empilhar os artigos recebidos para ser distribuídos às vítimas, pois os pátios com as marcas de incêndio já estavam abarrotados. Transferiram as pessoas de uma sala para outra com o intuito de colocar os sacos de arroz e outros donativos. Logo a seguir, o mesmo aconteceu com a segunda sala; depois, com a terceira sala; e, por fim, todo o andar térreo foi transformado em depósito de materiais para distribuição.

Além disso, as aulas da escola reiniciaram em primeiro de outubro, um mês depois do sinistro terremoto. Era inevitável que as salas do segundo andar fossem desocupadas.

Naturalmente, a diminuição se devia também ao fato de parte dos refugiados ter buscado a ajuda de parentes e amigos, retornado para suas terras de origem, se mudado para as barracas preparadas pela prefeitura, ou até mesmo levantado cabanas por conta própria.

Quarenta dias depois, restaram apenas cinquenta ou sessenta famílias, cerca de duzentas pessoas, no primeiro andar.

— O piso de concreto do primeiro andar ficou bem espaçoso, por onde o vento do outono passava... Sim, foi isso mesmo. Então, cada qual fazia seu ninho dentro da sala. Juntaram chapas de zinco enferrujadas, esteiras de palha ou farrapos de pano achados no meio dos escombros; cada família fez sua cabana de mendicância e se escondeu ali dentro. Eu achava isso ainda mais tristonho. Por que tinham que se esconder? Pois o casal mendigo com uma criança foi o único que continuou deitado na esteira como antes, não foi? Se também nós não tivéssemos nos cercado de paredes de zinco, você não teria enfiado uma espátula de arroz por baixo da chapa para acordar a mana.

23

A Companhia de Navegação Senju-Azuma, embora tenha esse nome oficial bastante respeitável, constitui-se na realidade um único velho barco de passageiros, que mais parece um brinquedo desde que o dique Mukojima foi transformado no moderno parque Sumida. De fato, oferecia um ambiente tranquilo, como naquele momento em que o barco se aproximava da ponte Kototoi: a bordo, um vendedor de livros ilustrados para crianças anunciou, fazendo de conta que integrava a equipe da embarcação:

— Bem, a próxima parada é Kototoi, Kototoi. Senhores passageiros, verifiquem se não esqueceram algum pertence. Permitam-me que me retire nesta parada. — Saudando assim os passageiros, ele desceu do barco.

É tão sossegada a viagem que, mesmo agora que a passagem custa cinco *sen*, os senhores meus leitores continuam chamando esse barco "puf-puf" de "vapor de um *sen*".

Entretanto, o velho vapor — que não deixa por menos — levantava umas ondas respeitáveis ao passar, como se fosse o senhor do grande rio.

Além do mais, o *Kurenaimaru* era quase uma sucata. Era tão pequeno que o fato de possuir um nome chegava a ser uma graça. Na verdade, foi a pedido de Toki-ko do barco que Umekichi, o qual adora objetos cortantes, pintou "Kurenaimaru" na traseira com tinta vermelha.

Quando alugou o barco, o pai de Toki-ko recomendou cuidado especial, dizendo haver ladrões especializados em acessórios de barco, mas nem mesmo Umekichi, depois de olhar tudo, entendeu o que havia ali que pudesse atrair ladrão.

E assim, toda vez que o barco balançava com as ondas, Yumiko sentia os joelhos do homem e apertava o cenho.

— Ui, minhas pernas estão ficando quentes, que nojo! — disse ela. — Não gosto de carregar cachorro ou gato, detesto! Aquecer o corpo com o calor do contato de um animal me dá arrepios.

De repente, saltou do colo do homem e pegou a alça do lampião, dizendo:

— Vamos alumiar mais.

— Se odeia tanto o calor dos animais, eu teria gostado mais se você tivesse deitado longe de Ochiyo.

— É mesmo — concordou, segurando a alça com o lenço, e em seguida disse, bafejando o ar branco para dentro.

— Eu não me lembro de ter dormido brincando com os seios da minha mãe. Naquele período, cada família só recebeu um colchão; levei um susto quando vi uma espátula de arroz enfiada por baixo da parede de chapa de zinco, cutucando o pescoço e os ombros da minha mana. Eu estava acordada. Lembro muito bem. Ela tocou a cabeça de leve com os dedos. Depois, se mexeu, se esticou de costas e se levantou apoiando com as mãos; então, encolhendo os ombros, escorregou para fora. Pegou os chinelos de sola de linho. Ah, sim, o ruído de largar os chinelos no chão de concreto soou a uns cinco ou seis *ken* adiante. A escuridão era total. Não havia um ponto sequer de luz na cidade inteira! Quando ela voltou, sabe o que fez? Começou a tremer. Procurava alguma coisa. Deve ter então tocado na ponta da minha trança. Ela meteu minha trança na boca e chorou abafando os soluços.

— De quem você está falando? Se for de sua irmã, não sente vergonha?

— É dela sim. Por isso, veja! Mandei cortar de vez aquele cabelo sujo. Eu só sentia ódio da minha mana.

— Você não passava de uma criança, e disse que tremia escondida debaixo da torre? Quer dizer que...

— É verdade, na noite em que veio o dirigível. Mas não

é interessante? Aquela irmãzinha apanhou você e trouxe para o barco, e agora conta as recordações amorosas em lugar da irmã que ficou louca.

— Aproveitando a ocasião, que tal tremer e bater os dentes mais uma vez?

— Está bem — Yumiko abaixou a cabeça ruborizada, enquanto esfregava a alça do lampião com um ar distraído. — Aconteceram tantas coisas. O médico da equipe de consultas da Polícia Metropolitana de Tóquio andava bêbado todas as noites, lembra? E aqueles alegres irmãos artífices? Às altas horas da noite, eles roubavam latas de conservas da distribuição; quando morria alguma criança, circulavam para coletar os *koden*[40], dizendo: "Por favor, pode ser apenas um *sen* ou uma folha de papel para carta." Organizaram também uma festa de exibição das habilidades secretas das vítimas, e reuniram interessados para fazer uma visita ao cemitério de Yoshiwara. Foram presos com mais três ou quatro pessoas e levados à delegacia vizinha; só então soubemos que foram apanhados em flagrante em um jogo de apostas.

24

O homem acabara de cruzar os braços e se encostara na parede da cabine do barco.

— Querido. Agora que sabe que eu sou irmã da sua namorada do passado, perdeu o interesse, achando que

---

40. Oferenda em dinheiro em sinal de condolência na ocasião da morte.

também sou uma mulher insípida como ela, não é? — perguntou sorridente.

Ela ameaçava saltar para cima dele, olhando-o na luz da lâmpada que acabara de limpar. Na ponta dos pés e inclinando o corpo para a frente, estendeu as mãos para aquecê-las na brasa do fogareiro.

— Hum, seja como for, sua preocupação é uma só: o que penso de você. Até aí eu também compreendo.

— E, pensando assim, sou bonitinha, não é? A irmãzinha é diferente da mana, até no jeito de beijar na boca.

— Detesto esse negócio de beijo na boca, pura perda de tempo.

— Eu também. Mesmo assim... naquele dia, se a polícia queria surpreender os jogadores só para passar o tempo, por que não prenderam o senhor Akagi?

— Você é uma boa menina. Lembrou meu nome?

— Vou ser uma boa menina e recordar qualquer coisa para você. Mas você é um tanto tolo. Para continuar no mau caminho é importante também ter boa memória — disse e, arrastando-se, acercou-se dele. — É um absurdo ser apanhado sem mais nem menos num local de diversão de bons garotos e boas meninas, que é aquele carrossel, e vir até o meio do grande rio.

— É isso mesmo! — riu Akagi, como se distraísse uma criança. — Fico feliz com essa minha patetice. Fazia dois anos que não chegava perto de Asakusa.

— E por que então... que capricho do vento carregou você? Ah, por falar em vento, lembro que você chegou lá como se arrastado pelo furacão. Junto à minha mana, é claro. Aquela noite, vários carros da prefeitura e da polícia metropolitana cruzaram a ponte provisória do grande rio, não foi? No lado leste do rio, a água subiu até a altura do peito das pessoas; não tinha sobrado um prédio em pé... Mesmo em outras áreas, cabanas improvisadas de vários parques foram destruídas pela ventania. A força do vento era tanta que as meninas tinham de se deitar no chão, agarrando-se para não ser arrastadas, e choravam; a chuva batia nas tranças delas, deixando-as cheias de barro. Na nossa escola, sem vidros nas janelas, fugíamos de um lado para o outro, carregando colchões na escuridão, já que nem se podia riscar um fósforo. E quando amanheceu você estava na nossa frente. Então tapamos janelas pregando chapas de zinco queimadas, tábuas velhas e farrapos...

— Pare com essas histórias deprimentes, que tal?

— O som de bater pregos... ainda consigo ouvir. É um som saudoso que... não vou esquecer a vida toda. Não me refiro às janelas. Nós fizemos a escola. "O primeiro assunto que preocupa o novo governo da Restauração Meiji é a educação. O primeiro trabalho da nova Rússia também foi a educação." Lembro direitinho o discurso do diretor da escola. No início das aulas, em primeiro de outubro, compareceram uns quatrocentos dos dois mil alunos. Chegaram pisando o solo queimado. Não havia uma única casa dessas crianças que não tinha sido consumida pelo fogo. Nós nos entreolhávamos, e eu chorava, comovida e feliz. Era a escola que nós tínhamos feito. Arrancando as tábuas das caixas de cerveja, juntando-as e pregando... e isso virou estrado para o professor ou carteiras para crianças. As esteiras penduradas separavam as salas de aula. Os estudantes de níveis adiantados adoraram fazer essas tarefas todos os dias. Vi um professor escrever problemas de divisão numa parede encardida de fumaça. Demorou-se muito para fazerem quadros-negros. Na frente do professor, vinte a trinta crianças da classe estudavam sentadas sobre cinco ou seis esteiras estendidas. Era uma ótima escola e estávamos felizes, dentro do possível. Mas se o mundo ficasse destruído novamente, a gente ficaria tão cheia de vida como naquela vez? Enquanto isso, desde que começaram as aulas na escola, a mana parecia ter se tornado mais tristonha. Ela ficava na janela do primeiro andar ouvindo os alunos lerem textos em voz alta, as aulas de canto ou os gritos de marcar ritmos da ginástica, e levantava o olhar naquela direção, enquanto as lágrimas escorriam.

— Se você pretende apresentar queixas a respeito da sua irmã, faça isso logo!

Beijo de arsênico

25

Dizem que existem barcos de carga decorados em estilo "cidade baixa", com dois roupeiros inteiramente de palóvnia, bandolim, penteadeira com um espelho de dois *shaku*[41], armário para aparelhos de chá coberto de ébano, braseiro de olmo, além de um pequeno santuário xintoísta de cedro, junto ao qual há uma enxó de bambu decorativa — para trazer fortuna e sorte — e um *hagoita*[42], o que faz lembrar uma sala de estar de casas burguesas.

No *Kurenaimaru*, Yumiko transferia carvão em brasa para um balde onde havia cinza de palha endurecida.

— Está querendo me ameaçar? Apresentar queixas? Do prejuízo do terremoto foram pagos só dez por cento do seguro a que tínhamos direito. Além disso, o namoro da minha irmã nem foi ressarcido.

— Deviam então tê-la colocado em um seguro contra doença mental. Como esse seguro não existe no mundo, isso me garante que não sou responsável por alguém que enlouqueça. Se todas as mulheres abandonadas enlouquecessem... isso não tem nada a ver aqui, mas quando eu e Ochiyo terminamos, ela não estava louca.

---

41. Unidade de medida equivalente a 30,3 centímetros.
42. O *hagoita*, originalmente, é a raquete de madeira de um jogo tradicional semelhante ao badminton. O modelo ornamentado passou a ser objeto de decoração do Ano-Novo, tal qual a enxó de bambu decorativa.

— Onde vocês se separaram? Foi na porta da delegacia, não foi? — perguntou Yumiko, ríspida.

— Isso é uma etiqueta no meu círculo de delinquentes. Na polícia, Ochiyo manteve a boca fechada e não falou nada de mim. Eu detestava ser ingrato, tampouco queria cometer duplo suicídio com alguém.

— Que bom saber disso.

Ela retirou uma garrafinha de remédio do bolso do casaco branco e derramou na palma da mão bolinhas de arsênico, que pareciam grãos de painço, e em seguida disse, estreitando os olhos com deleite:

— Cada grão contém cinco miligramas de arsênico. Quantas pessoas morreriam com uma garrafinha com quinhentos grãos? Esta garrafinha... é um prazer meu.

— Hum!

— Ora, rir de mim com tamanho desprezo num momento como este! Você é anacrônico igual aos bonecos de uma exposição de trajes étnicos. Pensa que estou usando uma coisa dessas para assustá-lo? Que bobalhão. Você é meu brinquedo! Aliás, não! Você é algo que eu preciso. Sempre tomo isto para que minha cútis se mantenha alva e transparente, e para que até a sola dos pés fique lisa e brilhante. Estou olhando para sua cara já há um bom tempo, é divertido pensar que posso matá-lo a qualquer momento. O coração obscurecido pelo ódio se alegraria bastante. Mas acabo gostando do homem que tenho vontade de matar. Não, não trouxe isto especialmente para me encontrar com você. Eu quase sempre faço refeições no parque, sabe?

— O quê? No outro dia, você me pregou uma peça dizendo que era perseguida em terra.

— Ora, ora. Se fosse em terra, você poderia fugir quando quisesse — deu uma risada. — Seus antigos capangas não o deixariam nem por um instante, o que me seria bastante incômodo. Na água, é livre de tudo isso. Carrego isto sempre, pois tomo na hora da refeição. No parque, consigo encher a barriga por dez ou vinte *sen*. Hoje em dia, em Asakusa, fazer comida em casa é um velho costume antieconômico.

— Espere, esse aí... — Akagi, que estava de braços cruzados, estendeu a mão.

O veneno provocou no homem um interesse renovado por Yumiko, e ela percebeu.

— Se eu ficasse apaixonada por você como minha mana, pretenderia me matar com isto. Eu queria tanto conhecer você que morreria por isso. Caso você me tornasse mulher.

Ela segurou com delicadeza o braço do homem e deixou cair seis grãos de arsênico na palma dele, em seguida continuou:

— Mesmo que "morrer" seja uma mentira... o prazer do amor não seria mais intenso se, em vez de só dizer que "não me importo de morrer!", eu guardasse um veneno no bolso e dissesse essa mesma coisa? Vou lhe dar isto para tomar.

Com um sorriso torto, Akagi fez menção de jogar fora o veneno.

— Não! É desperdício! — disse e, apertando a boca na palma do homem, abocanhou os grãos e mastigou-os com seus belos dentes incisivos; então sorriu pálida, arregalando os olhos, e fitou o homem sem pestanejar.

De repente, lançou-se sobre ele e lhe agarrou o pescoço. Forçando os lábios para dentro da boca dele, deu-lhe um beijo.

O homem sentiu o veneno arder na língua.

26

Tal como a pantera, que dá um passo atrás após golpear sua caça, Yumiko encolheu o pescoço e encarou Akagi. As tênues sombras das pestanas não combinavam com a expressão dura e rígida.

Na véspera se envolvera em uma confusão e perdera o estojo de maquiagem, contou ela para Akagi quando este subiu no *Kurenaimaru*. Talvez por isso e por não ter traços de pó de arroz, a beleza da cútis se acentuava ainda mais pela falta de sono.

O casaco desabotoado expunha um dos ombros quando ele a empurrou com brutalidade.

O homem cuspiu várias vezes seguidas. O arsênico picava-lhe a língua. Em pânico, puxou para si a chaleira e gargarejou, mas não tinha onde despejar a água.

Vendo suas bochechas cheias de água, Yumiko caiu na gargalhada.

Os dentes pequenos e bem-feitos ficaram tingidos de castanho-escuro por causa do veneno, que se desmanchara e lhe besuntava os lábios secos. Isso atraiu o olhar de Akagi. Desejou-a. E assustou-se. Era veneno.

— Hei! — ao abrir a boca, a água que retinha escorreu para seus joelhos. Ele agarrou os ombros de Yumiko e gritou.
— Burra! Lave a boca! Gargareje! A louca varrida é você!

Ela se livrou do casaco que o homem segurava e correu três ou quatro passos, tombou e continuou se retorcendo de tanto rir. Seu ventre sacudia tanto que se podia ver cada músculo do interior das coxas.

Deu uma sacudida no cabelo desgrenhado, e, quando levantou a cabeça, os olhos, que de repente ganharam vivacidade, cintilavam com lágrimas.

— Você, querido, pode saber das etiquetas de delinquentes, mas nada sabe das etiquetas de namorados. Pela primeira vez, tive a experiência de beijar... e o parceiro fica cuspindo e gargarejando... — disse, abafando a risada. O corpo sacudido denunciava a forma desnuda. — Que desastre, hein? É melhor mesmo não me tornar mulher. Ah, foi engraçado. Ai, foi muito engraçado.

— Ei!

Akagi segurou com uma mão o pescoço de Yumiko e a levantou. Apertou o rosto dela contra o peito e, pressionando a bochecha com o punho, forçou-a a abrir a boca. E com a outra mão puxou para fora a manga do seu quimono de baixo e limpou a língua e os dentes da mulher.

Yumiko, que já chorava de tanto rir, agora verteu novas lágrimas devido à ânsia de vômito. Esfregando as lágrimas no peito do homem, ela disse:

— Já... já estou bem. O que... o que se passou agora foi uma encenação. Perdoe-me. Mas, se não tivesse feito isso, eu nunca seria capaz de beijar.

Yumiko respirava com sofreguidão nos braços do homem, os quais ele afrouxara. Levantou para ele os grandes olhos úmidos.

— Por que me olha tanto assim? Só agora você olhou

para mim, não é? Desde aquele dia no Aquário me trata como criança, senão como uma mercadoria. Senti-me tão revoltada que tive que inventar uma confusão danada. Entendeu por que chamei as bolinhas de arsênico de meu prazer?

Entretanto, piscando uma vez, Yumiko ruborizou até as orelhas e, como se de repente lembrasse, ajeitou a saia.

— Na verdade, eu... — a voz de Akagi tremeu de súbito, ganhando um tom transparente. — A respeito de Ochiyo, também...

— Não precisa se justificar. Se tenho alguma razão, é para mim mesma. Não para minha mana. Concorda? Vendo ela namorando, jurei que jamais iria querer homem. E isso foi a minha infelicidade. Agora encontrei-me com o causador, que é você, e se me tornar mulher não terei mais nada para me queixar.

Os olhares de ambos se sondavam, e, no momento em que iam se unir, o braço do homem a puxou com força. Quando o rosto dele ia cair sobre ela, a mulher disse:

— Bobão! — e empurrou com a palma da mão direita a boca do homem.

Mais uma vez, os lábios e dentes de Akagi ficaram cheios de pasta de veneno. Yumiko estava segurando no punho o resto dos grãos, que havia derretido pelo suor.

— Seja homem, seu idiota!

Akagi ficou branco como um papel e desmoronou de cara no chão.

Ubamiya e Himemiya

27

Nos fundos do santuário Sansha, encontra-se a lápide de uma prostituta de Yoshiwara chamada Zuiun, face a face com a do mestre cantor Tsuga.

Embora esteja no parque Asakusa das mulheres, é a única prostituta entre as trinta lápides. Entretanto, isso aconteceu em virtude de uma oferenda que a mulher fizera ao pequeno santuário Hitomaro.

Névoa matinal clareia
Aos poucos na enseada de Akashi.
Meu pensamento divaga
Sobre o barco que desaparece
Atrás da ilha distante.

A caligrafia do poema de Hitomaro[43] tinha um traçado forte e másculo, mas era do punho dela mesma. Conhecida por sua inteligência entre as mulheres do seu mundo, ela deve ter feito alguma promessa ao santuário Hitomaro de Asakusa.

Na verdade, entre as cinquenta e cem deidades do xintoísmo e do budismo do parque Asakusa, Himemiya é a única que havia sido prostituta.

---

43. Kakinomoto no Hitomaro (660?-720?). Poeta e alto funcionário da corte imperial. É considerado o maior poeta japonês de todos os tempos.

Em junho do vigésimo quarto ano do reinado do imperador Meiji, sob as ordens da Câmara dos Conselheiros da Cidade, procedeu-se o aterramento do lago Uba[44], o qual conserva hoje apenas sua forma. Isto feito, nada mais restou das sombras do passado, da lua do campo de Asaji, o que é lamentável. Considerando seu desaparecimento uma perda à posteridade, decidi erigir um monumento de pedra em sua memória.

ETSUSABURO MORITA

O "local do lago Uba" indicado nesse monumento de pedra fica bem no meio das residências do terceiro lote, sexto bloco da avenida Umamichi. Portanto, Ubamiya e Himemiya convivem hoje com sete ou oito deuses do santuário Chikatsu.

Quanto à origem do lago Uba, há três versões conhecidas, mas todas elas contam que Himemiya dormia com um travesseiro de pedra.

Lembrei-me dessa lenda por causa de Yumiko, que dorme com um travesseiro de concreto, e é possível que durma usando uma tábua do barco como travesseiro.

O campo de Asaji, onde crescem capins e matagais, na planície de Musashino, é amplo e desolado; lá a lua nasce entre eulálias e se põe atrás das espigas de eulálias.

"Um viajante chegou ao anoitecer, quando se ouviam os cantos tristonhos das tarambolas do rio Sumida; sem saber onde buscar o pouso daquela noite, continuou seu

---

44. "Anciã", em japonês arcaico.

caminho e logo avistou um casebre perdido no meio do campo de eulálias ressequidas, no qual morava uma velha temível."

Lá vivia sua filha, uma bela jovem, nada parecida com a velhota.

"A velha costumava fazer com que a jovem se enfeitasse lindamente para atrair o viajante que dali se aproximasse, e então a moça tinha de convidá-lo para passar a noite. A idosa mandava a filha fazer companhia ao homem, deitando-se junto dele no travesseiro de pedra. No meio da noite, quando o viajante estivesse dormindo profundamente, a velha rompia a corda que prendia uma pedra no alto, esmagando a cabeça do homem ao lado da filha, tirava as vestes do cadáver ensanguentado e lançava o corpo no lago."

Desse modo foram assassinados 999 homens.

O milésimo viajante escutou a flauta do cortador de capins.

"O som da flauta se parecia com a fala humana:

Após anoitecer, mesmo que durma no campo, não busque o pouso naquela solitária casa de Asakusa [capim raso]."

Graças a isso, o homem suspeitou do travesseiro de pedra. Ficou discretamente em alerta; quando a grande pedra despencou, escapou por um triz e fugiu. Ele viu então um grande templo e ali se refugiou. Logo adormeceu, e ao acordar notou que estava no templo Kannon, a Deusa Misericordiosa — o cortador de capins era uma encarnação de Kanzeon.

"Anos mais tarde, no tempo do imperador Yomei, um pajem se hospedou na cabana da velha. Quando ela viu as belíssimas roupas que o pajem trajava e que seriam muito valiosas, riu de satisfação. A filha da velha, porém, apaixonou-se pelo belo, elegante e gentil jovem; perdida de amor, ela se deitou às escondidas no mesmo leito. Sem saber disso, a velha fez cair a pedra. O pajem, que era uma encarnação de Kanzeon, já havia sumido, e somente a filha foi esmagada e morta."

Havia muito a filha desejava morrer, sentindo-se aterrorizada pelas ações pecaminosas. O belo pajem dera-lhe apenas o prazer do amor à hora da sua morte.

"Então a velha, mais diabo do que humana, desesperada pela morte da filha e não suportando a tristeza, lançou-se no lago e pereceu."

A única diferença da segunda versão é que Himemiya agora é filha de um pobre samurai e sua mulher. Kannon não entra na história, mas a filha se disfarça de viajante e morre abatida pela pedra, a fim de redimir os pecados. Ao vê-la, no mesmo instante os pais despertam para a "verdadeira natureza búdica" e decidem entrar na vida monástica.

Caso Yumiko tivesse morrido por arsênico no *Kurenaimaru*, será que alguém acharia que os sentimentos das duas jovens foram semelhantes?

28

A terceira versão é atribuída à época do imperador Sushun[45], o trigésimo segundo da linha sucessória.

Essa região era um amplo campo desolado, com mui-

---
45. Sushun morreu assassinado em 592 d.C.

tos assaltantes que atacavam viajantes vindos do leste e do norte.

"Kanzeon afligia-se com esta situação e ordenou que o rei-dragão Shakara se disfarçasse de velha, e sua terceira filha-dragão, Ryujo, de uma bela jovem; e que habitassem um casebre perdido no meio do campo, onde acolhessem todos os viajantes que passassem por lá. Então, numerosos assaltantes, atraídos pela beleza da mulher, competiam em ganhar a atenção da jovem, trazendo saquê e pedindo-a em casamento. Quando a mulher aceitava o pedido de um, convidava-o para dormir num aposento com um travesseiro de pedra conhecido como *bankyo* e, no momento certo, cortava a corda que prendia a pedra chamada *ban'yu*, a qual esmagava a cabeça do bandido. Passaram-se anos, mas a força da luxúria é inevitável e sempre aparecia um que acabava perdendo a vida."

Desse modo, começando com Imaru, o chefe dos bandidos, ninguém escapou da pena de morte pela atração fatal, e as pessoas puderam viajar em paz.

"Nessa época, os moradores da região costumavam cantarolar:

Mesmo que durma no campo após anoitecer, não busque o pouso naquela solitária casa, na cabana do Uba."

Mais tarde, a velha se atirou no lago, transformando-se no deus protetor Kurikara-Fudo, enquanto a jovem tomou a forma da deusa Benzaiten, com um brilho dourado ofuscante. O travesseiro de pedra e o espelho da princesa-dragão foram preservados e se tornaram tesouros do templo Senso.

Se Yumiko fosse a Ryujo da atualidade e pretendesse matar com veneno todos os malfeitores do parque Asakusa, certamente Akagi estaria no papel de Imaru, atraído pelo encanto e arrastado ao leito de morte.

Entretanto, anunciava-se na parede lateral do posto policial do portal Kaminari:

REÚNAM-SE EM HANAKAWATO —— COMPANHIA ESCARLATE

Quando li o anúncio, eu nem ao menos sabia que nesse dia Yumiko estava no Kurenaimaru.

No segundo dos 33 templos para peregrinação do antigo Edo, há o seguinte poema-oração:

> *Orem apenas:*
> *Ó, as promessas em vão*
> *Na cabana solitária.*
> *Flutuam no lago Uba,*
> *Os pecados do mundo.*

Decidi contar esta história de Ubamiya e Himemiya aos caros leitores porque ela é tão importante que marca uma página na *Crônica dos fatos milagrosos de Kannon de Asakusa*. Entretanto, retomando o assunto de onde parei, eu me encontrava na entrada de Nakamise, cercado pelas incômodas crianças-vendedoras de calendários.

Evitei olhar o rosto das crianças e fui andando pela avenida Asakusa, sem propósito algum, em direção a Hanakawato.

Defronte à agência de correio Asakusa, cruzei com duas

moças usando vestido chinês, ambos amarelos. Acompanhei as duas com o olhar, quando de repente:

— Gostou daquelas duas falsificações? — disse a mulher num vistoso *haori*[46] de brocado de seda azul artificial, interceptando meu olhar.

— Olá!

— Fale com Tsujimoto. Ele lhe arranja chinesa, coreana, até branca, como queira.

Tsujimoto é... em tempo apresentarei aos senhores leitores esse obscuro aliciador de fregueses. Entre os da sua profissão é o mais esperto, mais estranho e, além disso, é um homem triste.

— Está a caminho da torre do Metrô? — perguntei a ela.

— Oba! É um convite para comer?

— Vão se reunir no restaurante?

— Quem?

— "Reúnam-se naquele local, Companhia Escarlate", é o que estava escrito. Você viu aquele aviso e por isso veio, não foi? Está acontecendo alguma coisa?

— Ah, entendi. Por isso que o senhor me perguntou se vou para a torre? Que pena. Eu até pensei "quanta gentileza". Estava mesmo procurando uma pessoa que me pagasse o jantar — disse Haruko. — Deve ser brincadeira de alguém. Eu não vi qualquer aviso. Mas o senhor vai? É brincadeira o que eu disse sobre o jantar. Fui comprar uma lembrancinha e estava voltando.

Mostrou-me um pequeno embrulho de papel, sacudindo-o.

— Veja isto.

---

46. Casaco curto para usar sobre o quimono.

"Isto" era um doce famoso, especialidade de Asakusa, mas neste romance manterei seu nome em sigilo. Decerto é um enigma muito fácil de ser decifrado.

— Para comprar isto, tenho uma técnica secreta. No balcão, entrego, sem ninguém perceber, um jornal para a vendedora; é muito engraçado. Ela esconde o jornal dentro da calcinha e em troca, em sinal de agradecimento, me serve uma porção bem maior.

Nova versão de "Luzes de vaga-lumes"

29

Se Yumiko andasse, por exemplo, com o ator mirim Utasaburo, ela se pareceria muito mais com um homem do que esse garoto de belos lábios. Quando os senhores leitores enxergam um homem em uma bela jovem, não percebem no coração dela uma melancolia semelhante a uma lâmina afiada e fácil de lascar?

Naquele beco sem saída — de onde se avistava a torre de observação de incêndio do dique de Yoshiwara —, pouco depois de eu ter alugado o casebre vizinho ao dela, deparei-me sem querer com uma cena em que Yumiko calçava os *tabi*[47] nos pés de Utasaburo. Estavam no vestíbulo onde havia o piano. Soluçando, ela enxugava as lágrimas com a manga do seu quimono. Utasaburo, de boné de caçador com aba grande, as mãos enfiadas nos bolsos do casaco, deixava que ela cuidasse dos seus calçados.

É óbvio que Yumiko não estava chorando por causa do garoto. Todavia, fiz de conta que não vi nada e me escondi para não ser percebido.

Que significado teria para ela, que parece mais um homem, essa cena que presenciei agora? De qualquer modo, pensei como se estivesse gritando: "Está bem. Não importa o que ela irá fazer, não levantarei qualquer queixa contra ela."

---

47. Meias com a separação entre o primeiro dedo e o resto, próprias para quimono.

Antes que eu esqueça, Utasaburo não é o irmão mais moço de Yumiko. É um garoto de apenas doze ou treze anos.

A diferença entre Haruko e Yumiko é: você pode comparar Haruko com todo tipo de mulher, e ela sempre vai parecer a mais feminina. Yumiko é sempre, de algum modo, mais mulher do que qualquer outra.

Não há tragédia numa mulher de verdade. Qualquer um pensaria assim olhando para Haruko. E, ao acreditar que não há tragédia em Haruko, acaba acreditando que não há tragédia numa mulher de verdade. Ao menos, ela é uma mulher desse tipo.

— Ora! Mas é verdade que escondem na calcinha — disse Haruko, olhando as pontas dos meus sapatos. — Não há outro lugar para esconder. O vestido da vendedora não tem bolso... falo da moça daquela loja. Nem no avental. Mas um jornal ser tratado com tanto carinho por uma mulher... Epa!, foi sem querer.

— Tinha algo especial no jornal de hoje?

— Não é só o de hoje. Todos os dias — replicou Haruko. — Ouvi dizer que o patrão daquela loja tem oito concubinas. Pouco depois do meio-dia, ele sai da casa de uma delas e vem à loja, conta o dinheiro da venda do dia anterior, leva-o ao banco, e logo vai embora para casa. Acho legal também que os dois filhos vão às casas das concubinas do pai. A esposa legítima já é falecida; mas fico pensando que relação teria entre as coisas chamadas "jornal" e "concubina", por que o patrão não permite que as vendedoras leiam jornais. Nenhum livro tampouco é permitido. Caso chegue algum pelo correio para uma delas, ele não o entrega e o devolve para o remetente.

— Ah, é? Isso me parece bem possível.

— Eu... é verdade o que digo. Pois, então, a luminária de propaganda é elétrica, não é? As vendedoras têm saudade das letras e ficam olhando para ela o tempo todo. Quando conseguem um livro ou jornal, é uma festa! Trancam-se no toalete por mais de uma hora para ler, depois o enfiam na calcinha com todo o cuidado. À noite o supervisor apaga a luz bem cedo, mas é engraçado; igualzinho à letra da canção: "As luzes dos vaga-lumes, a neve da janela..." As vendedoras dormem no piso superior. Quando abrem a janela, sabe, entra a claridade das luzes elétricas da rua, aí todas juntam a cabeça e...

— Que história sensacional! Meu negócio é fazer com que as pessoas leiam as letras. Ultimamente, vem ganhando força a opinião de que a literatura, em que é necessário ler as letras, se tornará obsoleta...

— Ah, não! Não escreva o que contei. Tenha pena das vendedoras. Outro dia me disseram que são dezoito. Se o patrão descobre alguma coisa impressa, elas são submetidas a um severo interrogatório sobre de onde veio. É claro que ninguém confessa. Então, ele as manda ficarem em fila e esbofeteia uma a uma... O senhor deve ter visto uma banca de jornal na frente da loja; lá fica um vendedor velhinho sempre sujo, cansado e pálido, mas muito simpático. Quando a vendedora fecha a loja, esse velhinho dá para ela, escondido, um exemplar vespertino que sobrou na banca. Ei, não escreva isso, por favor! Aliás, tive uma ideia! Pode escrever se for para recomendar aos clientes que esqueçam jornais e revistas lá.

30

Ervas primaveris, floração, cortina de pedras coloridas, malmequer, feijão açucarado, *yunohana*[48], lembranças do interior, lua matinal. Fiquei lendo os nomes de modo distraído. São bem próprios para decorar o altar de bonecas na Festa das Meninas. São nomes de doces tradicionais japoneses de cores variadas. Estavam no mostruário de vidro, expostos ao lado de geleias de frutas, caramelos, chicletes, chocolates e outros. É a venda do andar térreo do restaurante Metrô.

Ao lado dessa venda ficava o mostruário de pratos de comida.

— O que vai comer? — perguntei.

ARROZ, PÃO, CAFÉ, CHÁ PRETO — 5 *SEN*

CHÁ DE LIMÃO, ÁGUA GASOSA — 7 *SEN*

SORVETE, TORTA, ABACAXI, FRUTAS — 10 *SEN*

CAMARÃO FRITO, ARROZ AO CURRY, PRATO ESPECIAL PARA CRIANÇAS — 25 *SEN*

BIFE, BIFE À MILANESA, CROQUETE, SALADA COM PRESUNTO, REPOLHO RECHEADO, GUISADO — 30 *SEN*

ALMOÇO COMPLETO — 35 *SEN*

— Que cara, a comida! Vamos desistir — disse Haruko.

O balcão da venda de tíquetes de refeição ficava à direita do elevador.

— Não é proibido subir na torre, mesmo que não se coma, é? Ora, veja. Aqui está escrito! — Haruko provocou

---

48. Literalmente, "a flor da água quente". Mineral solidificado da água termal como enxofre.

o riso das vendedoras de tíquetes. — Torre do Metrô, quarenta metros. Subam à vontade.

Ela sacudiu o saquinho de papel e disse:

— Vamos comer isto e beber água. Eu achei no parque uma porção de jornais vespertinos jogados. Apanhei alguns e passei à vendedora junto com meu *yarikan* (dez *sen*), e ela me deu tudo isto de brinde.

A decoração interna do elevador aparentava ser de laca dourada com pó de ouro aspergido.

— Que horror! Máximo de treze pessoas, avisa aqui. Diga-me uma coisa. Duzentos e cinquenta ienes por três anos significam quanto por dia? Faça o cálculo de cabeça antes que a gente chegue lá em cima. Na loja de doces em que comprei isto, as empregadas são contratadas por um prazo fixo. Recebem 250 ienes por três anos, então 83 ienes, 33 *sen* e 33 centésimos por ano, menos de sete ienes por mês. Oh, já estamos no sexto?

Defronte ao elevador ficava a cozinha. Passamos ao lado dela e saímos ao jardim do terraço. Pisando os ladrilhos alternados em preto e branco, ela prosseguiu:

— Sendo que um ano tem 365 dias, é menos do que 23 *sen* por dia. Aquela loja funciona das oito da manhã às onze e meia da noite, ou seja, quinze horas e meia de trabalho. É óbvio que há alguns momentos de folga, mas significa mais ou menos um *sen* e cinco décimos por hora. Que acha disso como salário? É bom ou ruim? Eu não gostei — declarou, sem dar atenção ao panorama da cidade.

— Antes de tudo, seu cálculo é pouco convincente — respondi.

— Como ousa? Sei que não consegue passar na frente

do balcão de tíquetes de refeição sem comer alguma coisa. A minha conta não me deixa vaidosa. Enquanto subimos de elevador comodamente, calculei direitinho até um *sen* e cinco décimos. Eu... — interrompeu, de repente. — Oh! um santuário Inari num lugar como este! Venerável deus Inari. Tem até os estandartes.

O portal *torii* do pequeno santuário era de ferro.

Diante dos nossos olhos, elevou-se ainda mais alto um braço de aço — era o guindaste da obra de construção da ponte Azuma.

— Não acha que o edifício se parece com as meias vistosas dos trajes de golfe? — continuou Haruko a sua observação. — No telhado, bandeiras de todas as nações tremulavam ao vento. Então, o uniforme dos assistentes do Metrô não tem igual nos transportes de Tóquio, tão bonito como o dos funcionários dos hotéis da Europa que vi no cinema. Quero dizer, o Inari daquele jeito é como se fosse um grampo adornado com flores artificiais no cabelo curtinho de alguém.

Junto da escadaria que conduz até a torre havia uma cortina branca. Quatro mocinhas, empregadas do restaurante, estavam ali escondidas, tocando "O porto de Habu" com uma gaita de boca.

— Não acha que os músicos ficariam felizes? É o mesmo que acontece com os jornais naquela doceria — disse Haruko. — Um *sen* e cinco décimos por hora, e dizem que lá só se ganha folga para sair duas vezes por ano. E mesmo assim, guiada por supervisor, feito um piquenique de crianças escolares.

Concreto

31

Na avenida Asakusa, o doce de castanha, uma mistura de areia escura com castanha, girava em grossas ondas dentro da forma de assar. Certa vez, um membro da Gangue Escarlate que olhava o mecanismo observou com muita sabedoria:

— Oba, é uma hula-hula espetacular! Mais autêntica do que aquela de Yoshiko Haruno. É a dança de uma negra enorme.

Por sua vez, o flautista Kamefue vociferava até não poder mais no palco do Teatro Yuraku; pois, se não injuriasse as cantigas de jazz, ele não ganharia suficientes gorjetas do público.

Por exemplo, pergunto aos meus leitores se ultimamente têm assistido ao *manzai*[49]. *Sabemos que o manzai* sempre foi burlesco. Porém, em 1929, por terem sido arrastados por uma locomotiva descontrolada chamada de "moderna", trazida da América, os palhaços ficaram duas vezes mais tristes.

Outro exemplo: na ópera do Teatro Teikyo verão o príncipe Hikaru Genji[50] e o nobre Narihira[51] dançando jazz entre

---

49. Diálogo cômico.
50. Protagonista de *A história de Genji*, de Murasaki Shikibu (973?-1014?).
51. Ariwara no Narihira (825-880), neto do imperador Heijo; seus *Ise monogatari* [Os contos de Ise], do século X, são tidos como sua biografia romanceada.

outros personagens do século X. Oh, nobre senhor Narihira! Assunto à parte, Mukojima, onde sua *miyakodori*[52] lhe inspirou o belíssimo poema, virou um parque com margens de concreto. A famosa casa de doces de Mukojima, que vendia *mochi* de cerejeira do templo Chomei e bolinhos de Kototoi, foi reconstruída em concreto.

Há nas proximidades, à margem do rio, uma casa de barcos da Faculdade de Economia, uma construção de madeira pintada em azul. Tanto ela quanto seus botes parecem tão antigos quanto os *mochi* de cerejeira.

Todavia, para o nobre Narihira seria impossível compreender o encanto do concreto.

Contaram-me que o estúdio de Kamata da Companhia Cinematográfica Shochiku irá produzir um filme chocante de cantigas populares, intitulado *É vanguarda!*

Qualquer dia desses surgirá um filme-musical com o título de *É de concreto armado!*

Quem rir disso não conhece o encanto do asfalto e do concreto.

Agora, quanto a esse encanto... não gosto de falar do sanitário, mas não há exemplo melhor.

Próximo a Yoshiwara, há um pequeno parque; na verdade, é mais uma pequena praça para folguedos das crianças pobres do bairro. Duas ou três crianças faziam a limpeza do banheiro comunitário. Eu nunca tinha visto um banheiro público tão bonito e limpo.

— Vocês limpam isto aqui?

---

52. Literalmente "ave-da-capital". É diferente da ave atualmente chamada por este nome (em português, "ostraceiro"). Segundo a descrição de Narihira, é a atual *yurikamome, larus ridibundus*, ave da família da gaivota, de porte menor, quase toda branca, mas de bico e patas vermelhas.

As crianças me olharam desconfiadas.

— Todos os dias?

— A-han, às vezes.

— Por quê? Alguém manda ou pediu para vocês?

— Não.

Trocaram olhares e foram embora como se fossem se esconder. Perguntei então a uma menina-babá que estava no parque.

— Eu acho que é porque gostam daquilo — respondeu a menina. — É mais moderno do que a casa delas, e a chance de usarem uma instalação tão deslumbrante só pode ser esse banheiro. Por isso se sentem como donas, cuidam e fazem a limpeza.

A resposta foi inesperada para mim. Contudo, ao perguntar a uma outra menina-babá que estava num banco mais distante, recebi a mesma resposta.

Não há dúvida de que o banheiro comunitário era incomparavelmente mais suntuoso do que o da casa dessas crianças. No entanto, o motivo por que elas o amam não seria o encanto do concreto? Os adultos elogiam o ato em nome do "dever público", mas as crianças não estariam fazendo isso levadas pelo encanto da moderna construção? Pergunto se as crianças não amariam mais o sanitário de concreto do que a sala da cerimônia do chá do castelo Momoyama?

Se for para escolher uma nova lista das "oito melhores vistas de Asakusa", eu indicaria em primeiro lugar o magnífico jardim construído por Kobori Enshu[53], no átrio do

---

53. Esteta, arquiteto e desenhista-construtor de jardins (1579-1647).

Denpoin, onde Yumiko se refugiara na ocasião do terremoto; entretanto, ela disse apenas:

— Ah, é? Aquilo é magnífico?

Sendo assim, embora espalhassem boatos de que seria aberto para visitação pública a partir do primeiro de abril do quinto ano da era Showa [1930], muitos deixariam de contá-lo como uma das oito; mas quem iria esquecer a ponte Kototoi de concreto e o parque Sumida? O edifício de concreto armado do restaurante Metrô também seria lembrado bem antes do pagode de cinco lances. O templo Sensho, em construção — tudo em concreto, cujas portas dos prédios com barras de ferro lembram uma prisão —, no final da avenida Asakusa, pode se tornar o mais "moderno" Buda protetor e conquistar mais popularidade do que o Kannon de Asakusa.

No terraço do restaurante Metrô — até dentro dos trens há propaganda com pôsteres: "As flores culturais mais avançadas dos nossos tempos" —, sem se importarem com as meias de algodão que apareciam por baixo da cortina branca, as garçonetes tocavam, escondidas, gaitas de boca. A gaita de boca já é um instrumento antiquado e triste.

Haruko bebeu água da torneira e abriu o pacote de doces que trouxera, ela estava alegre, no entanto...

32

Talvez para evitar que os suicidas saltem, o terraço possuía um muro ao redor, e por cima ainda havia uma cerca de tela de arame. Diante do pequeno santuário Inari, havia oito cadeiras e dois cinzeiros de pés altos. Parei ali para escutar os ruídos da cidade.

Os apitos dos guardas de trânsito, as sinetas dos vendedores de jornais, o barulho da corrente de guindaste, o som dos motores dos barcos do rio, os sons de tamancos pisando no asfalto, os barulhos dos bondes e automóveis, as gaitas de boca das garotas daqui, as campainhas dos bondes, o ruído da porta do elevador, as buzinas dos automóveis, os diversos sons distantes — todos viravam um só ruído, e eu, distraído, deixando meus ouvidos flutuarem nessa onda; senti que isso era também uma cantiga de ninar.

O grande rio com suas quatro pontes a jusante estava vago com a neblina hibernal.

Porém, o ruído estridente, zi-zi-zi... zi-zi-zi..., que vinha de tempos em tempos arranhava meu ouvido. Era do brinquedo que eu vira havia pouco lá embaixo. Ao se dar um empurrãozinho na ponta de arame, um disco de metal circula com o ruído zi-zi-zi..., soltando faíscas vermelhas e azuis. Um garoto-mendigo o vendia defronte ao posto de correio. Uma garotinha de cerca de três anos chorava a altos berros, rolando no asfalto ao pé do garoto. Deixavam-na chorando de propósito. Chorar era o trabalho da garotinha — é mais caro o aluguel da criança que sabe chorar muito —; no entanto, o garoto fitava as costas da menina com profundo ódio. Eu jamais vira antes um olhar tão frio, quase enregelado.

Outro exemplo: quando o caro leitor desvia o olhar das placas ilustradas de cinema e, distraído, olha para outro lado, é muito provável que veja uma pedinte de pernas inchadas com uma placa pendurada no peito, na qual está escrito: "Não há ninguém mais miserável no mundo do que eu. Perdi meu marido em outubro do ano passado, cuido da minha mãe de 75 anos, eu mesma sofro de beribéri, e tenho ainda três crianças para alimentar..."

Onde estão as crianças? As três brincam subindo nas árvores da beira do lago.

Não se pode olhar para elas. Assim que sentem o olhar, as crianças saltam da árvore e começam a lutar corpo a corpo bem diante do seu nariz. E choram e berram. Fingir briga é a especialidade delas, mas seus olhares estão muito mais repletos de ódio do que em uma briga de verdade.

Nesse momento, recordarei os olhos alegres de Haruko. Suas pupilas de cor castanha parecem verter e tingir o branco dos olhos, e, de fato, esse branco é fácil de ficar vermelho...

— Que delícia. Enquanto sobe pelo lado do restaurante, a água encanada ganha sabor. — Feito um passarinho bebendo água, ela esticou a garganta macia estalando a língua; depois, retornou para a cadeira.

Não sei por que, num instante ela virou uma camponesa; seu vestido de crepe barato, dourado e vistoso já não lhe ficava tão bem.

— Ficou quieta de repente?

— Sim. Quando me encontro com um cavalheiro, sempre viro uma moça quieta depois de uns dez minutos.

— Deve ser uma tática.

— Uma tática de conquista? Não é nada disso. Fico feliz por pouco, e minha saudação inicial é um pouco mais longa do que as outras.

— Gostaria de ir beber uma água com um sabor mais gostoso?

— Sim, agradeço.

Os restaurantes ocupam do segundo ao quinto andar, cada qual com luminárias e papéis de parede de cores diferentes, em estilo moderno, claro e límpido. Bebida alcoólica é proibida no segundo e no terceiro andares. Mas é óbvio que o restaurante de parede verde, do quinto, onde estávamos, servia também café.

Lá adiante, da cidade que se abria da janela oeste, avistavam-se as bandeirinhas da loja de departamentos Matsuzakaya de Ueno.

Uma jovem servia saquê para o homem que lhe fazia companhia. Ao lado deles, havia uma turma de rapazes ginasiais. Duas famílias com crianças comiam um bife à milanesa do tamanho de seus pratos.

Numa mesa perto da entrada, duas garotinhas de uns seis anos estavam sentadas nas cadeiras, esperando a garçonete passar manteiga nas fatias de pão torrado. Assim que terminaram de comer o pão, chamaram o elevador, apertando o botão, e desceram com um ar de senhoras de si.

Nós sorríamos.

— Que espertas. Duas menininhas sozinhas. Essas, sim, são autênticas filhas de Asakusa. Yumiko vai ficar feliz! — disse Haruko.

— Aquela turma não vem, o que aconteceu? Será que estão em cima da torre? — perguntei.

Miyakodori — Aves-da-capital[54]

33

As xícaras de café já estavam vazias. Com um ar perdido e lambendo a colher feito uma criança sugando o bico do seio da mãe, Haruko olhava para baixo pela janela do lado sul.

— É muito bonito mesmo o arranjo da fruteira — eu disse.

— Hum? — espantou-se ela. — Ah, sim. Mas eu estava olhando os tetos. Como são sujos e empoeirados os tetos dos trens e ônibus, veja que camada de pó!

— No que você estava pensando?

— Não pensava em nada. Só estava descansando.

— Quando está com um homem, dez minutos depois fica quieta; vinte minutos, esquece esse homem, acertei?

— Não sou como Yumiko, que fala como se estivesse costurando. Não gosto disso.

— O que é isso, costurando?

— Dar picadinhas com a agulha. Do ponto de vista dela, sou coitadinha. A meu ver, a coitadinha é ela. Deve ser assim mesmo, mas não suporto Yumiko, e pronto.

— Entendo.

— Para começar, ela é burrinha. O senhor se surpreen-

---

54. Refere-se ao poema de Narihira: "Já que ostentais o nome/ tenho algo a perguntar-vos/ ó, aves-da-capital!/ Minha amada, lá da capital/ estaria bem e espera por mim?"

deu há pouco com minha habilidade de fazer conta, não foi? Se ela fizesse a conta como eu tinha feito, nunca chegaria àquele resultado. Ser assim como Yumiko seria mais vantajoso para uma mulher. Gosto é de Aki-ko. Uma Yumiko homem. Apesar de ser mais novo do que eu, Aki-ko tenta me tratar com muito carinho. Morro de rir por dentro. Ele tem um jeito charmoso, atrevido, sei bem disso, mas sou desligada, sabe? Não sei como aconteceu, quando me dou conta, estou nas mãos dele... Até para uma mulher, sou desse jeito. Com um homem, sou um brinquedo...

— É um brinquedo, de que jeito?

— É daquele jeito, assim ou assado, não sei explicar. Quero dizer, há uma coisa que às vezes penso. Que sou uma pobre mulher. Não! Tudo bem. O que quero dizer é que, para mim, é o mesmo que dizer "como é bom ser homem."

Estendi-lhe a mão sem dizer nada. Ela pôs na minha mão a colher que chupava, dizendo "perdão", e parecia nem ter percebido seu ato. E voltou a falar como se nada tivesse acontecido.

— Eu disse que estava descansando, não é? A questão é essa, descansar. Quando me vejo na frente de um homem, logo fico no modo "descanso". Pensar em algo, fazer alguma coisa, deixa de ser necessário. Não que eu faça isso de propósito. Eu também, de qualquer forma, sou uma mulher que se sustenta por conta própria. Preciso de descanso. O homem é um sonífero da vida. Despedir-se é o despertar matinal. Mas afinal, ora, desculpe pelo "mas afinal", parece tão arrogante. Mas, quando uma moça está amando, as lágrimas despontam à noite. Se ela passa por uma separação, despontam de manhã. Se chegar ao estado em que as lágrimas não mais surgem pela manhã, isso significa que ela cresceu, já é uma mulher adulta. No entanto, Yumiko confronta homens do mesmo jeito que samurais em luta de espadas, sabe? Viu o grande cartaz de um anúncio do Teatro Kannon? "Apresentamos, sem intervalos, um drama de luta de espadas: *Se chegar perto, eu te mato.*" Ela é exatamente isso. Passa noites sem dormir. Não entendo o que ela pensa sobre se manter acordada. É como os coitadinhos dos bichinhos-cobaias de experiências médicas... um ser humano vive quanto tempo sem dormir?

— Yumiko não tem ninguém? — indaguei.

— Ora, o senhor é mesmo um chato. Se queria saber isso, devia ter perguntado logo. Deixou que eu ficasse tagarelando todo esse tempo.

— Você também é bastante boa na "costura".

— Sou sim. Já que sou uma mulher comum, penso em aprender a "costurar". Ah, não, não faça essa cara de superior! Daqui a vinte minutos vem de novo com "Yumiko não tem ninguém?" Odeio isso.

34

O gigantesco braço de aço vinha de novo flutuando para a janela de vidro. Enquanto contemplava o ruído da corrente, estreitando os olhos, Haruko disse:

— Ah, que vontade de me enforcar. Como seria bom se aquilo me levantasse bem alto. Fico me imaginando com uma cuidadosa maquiagem, num vestido vermelho bem produzido, e debatendo-me toda... é isso mesmo. Ficar suspensa bem no alto, desmaiada, e então ser jogada no rio: splash!

— Isso, minha querida, é uma fantasia do tempo em que era moda a palavra "mulher fatal"; era algo extravagante. Da extremidade do guindaste, ela salta como uma andorinha, vestida apenas de roupa de banho. Você, que é uma garota moderna, devia aprender o *swallow-dive*[55].

— Eu, é?! Diga isso a Yumiko. Ela, não sei por que, fica assustada feito uma donzela antes do casamento. Ela sabe muito bem que não consegue entrar na profissão de noiva.

— Nada sei sobre isso. De qualquer maneira, as pessoas de Asakusa são antiquadas. Os vendedores ambulantes, os sem-teto e até os mendigos preservam o espírito de chefão e capanga, fidelidade entre os camaradas... continuam com o mesmo jeito dos jogadores do tempo de Edo. Dizem que em Shinjuku e Dogenzaka, em Shibuya, até os garotos marginais são bem mais modernos do que os de Asakusa. Porque lá não existe uma tradição como em Asakusa. É claro que não há outro lugar no Japão com a aparência exuberante de Asakusa, onde tanta coisa acontece. Mas, no fundo, é igual às amostras da Casa dos Insetos. É uma ilha solitária, ou um povoado da África chefiado por um cacique; bem diferente do mundo de hoje e que está coberta por uma malha de normas antiquadas.

— O que está acontecendo? Tenho pavor de conversas assim. Isso parece um discurso daqueles estudantes que faltam às aulas para frequentar Asakusa, e às vezes

---

55. Inglês no original. "Mergulho-de-andorinha."

são levados presos. Você disse "malha de normas"... já caiu nela alguma vez? Nunca, não é? Se nunca caiu, está tudo bem. Continue passeando por Asakusa só por curiosidade. As normas de que você ri... Asakusa é o ninho daqueles que sobrevivem graças a essas normas. Imagine se não as tivessem. É verdade que ganharia fama de ter confusões sangrentas e mortes nas sarjetas. Vou mesmo me enforcar no guindaste. Ah, sim, sobre essa história, é melhor perguntar ao guindaste. Senhor Guindaste, para onde expulsou os pássaros da capital, os *miyakodori*? Se Yumiko tem ou não tem homem, pergunte aos *miyakodori*.

— Entendi. Falando da ponte Azuma, ela fica na antiga travessia de Takemachi, certo? A travessia de Takemachi era também chamada de travessia de Narihira.

— Quer dizer que ali tinha *miyakodori*?

— Chamam de *miyakodori*, mas no rio Sumida não passam de simples gaivotas. Há livros que dizem que o bico e as patas delas são vermelhos, mas não são confiáveis. Muitos *senryu* fizeram gozação sobre isso.

No local célebre,
 gaivotas aqui são
 miyakodori.

A ponte no meio,
 de um lado gaivotas,
 do outro *miyakodori*.

O balseiro
 divide em dois
 os nomes dos pássaros.

Droga, que pena!
Eram gaivotas
de Komagata.

Se chamassem
as aves de gaivota,
o local não seria celebrado.

Por isso, os apreciados *miyakodori* da travessia de Takemachi até a ponte Azuma, quando se desviam para Komagata logo abaixo da ponte, se transformam em pobres gaivotas.

— De qualquer modo, Narihira pegava qualquer mulher sem graça que encontrasse no caminho, não é? — disse Haruko com desdém. — Se fosse hoje, ele cantaria "Oh, minha Madona de cada cidade".

— Na realidade, já cantam no Teatro Teikyo — confirmei.

Por falar nisso, caros leitores, deixei Hikaru Genji e o nobre Narihira no palco de Teikyo e me esqueci deles por completo.

Esses nobres palacianos da era Heian trajam vestes aristocráticas de sua época, pelo menos aparentemente; mas carregam uma fina bengala. Cantam a "Sinfonia da grande cidade" e dançam jazz, sacudindo os quadris:

Sou profissional, de macacão azul,
Pesado martelo, não balanço à toa.

Num instante, seguram as bengalas como se fossem espadas de samurai e começam a lutar.

Por outro lado, no alto da torre, Haruko, que eu dissera ser antiquada, exibiu-se alegremente beijando, um por um, quatro ou cinco homens, enquanto dizia:

— Sou a noiva da torre de Asakusa. Como é que se beijava na peça *A noiva da Torre Eiffel*?

35

O palco é a capital Heian no esplendor da sua plenitude. As moças em elegantes trajes de damas da corte imperial da época do príncipe Hikaru Genji e do nobre Narihira cantam e dançam com serenidade. Até que, de súbito, uma garota traquina se destaca, modernizando-se por mil anos, e dança o *charleston* em demasia, até que desmaia. Agora, usando o termo em moda "garota de esquerda", elas debatem o amor, debatem questões sociais. Por exemplo:

— O que é o proletariado?

— É a classe que produz e trabalha com honestidade.

Ou, dando empurrões um no outro depois de um bate-boca, dizem:

— É luta de boxe, briga a modo ocidental.

Por falar nisso, caros leitores, a estranha expressão "garota de esquerda" parece estar na última moda em Asakusa. É uma adjetivação pouco respeitosa, da mesma forma que designar alguém de "canhoteiro".

Caso um membro da Gangue Escarlate diga "Ultimamente Yumiko anda com a gola direita do quimono sobre a esquerda (está em dificuldade financeira)", isso é um trocadilho que significa "ela se tornou socialista".

Se dissesse "Embora não pareça, Haruko é uma moderna '*hidarizuma*[56]'", estaria dizendo que ela é admiradora do romance *O amor vermelho*, da escritora russa Alexandra Kollontai. Se bem que, diferentemente do que acontece na Rússia, a "*hidarizuma*" japonesa exige pagamento.

De qualquer modo, em Asakusa, a carta de amor de Hikaru Genji, em japonês clássico, é declamada em estilo de canções de ópera. A nobreza da corte imperial do palco domina o japonês de todas as épocas.

Então dançam foxtrote; depois, todos os membros da companhia cantam jazz de mãos dadas, e por fim desce a cortina glamorosamente, pois é um musical.

Não é nada de mais que Haruko assuma o papel de *A noiva da Torre Eiffel* na torre do Metrô.

Bem nessa época, o Cassino Folies levava ao palco um roteiro que lembrava muito essa peça de Jean Cocteau.

Também não é nada surpreendente as crianças da Gangue Escarlate, vindas de algum lugar, surgirem em um caminhão. É coisa de Asakusa.

A cidade já está com as ofertas de presentes de fim do ano, como se fossem uma exposição barata de produtos: bandeiras, cortinas, fichas vermelhas, lanterna de papel, banda musical; até garotas manequins aparecem em Asakusa.

Entre essa excessiva profusão de cores, um coreano vestido de branco caminhava a passos lentos, carregando no ombro sete ou oito peças de pele (que dizem ser) de urso branco. Não demoramos a notá-lo da janela do quarto

---

56. "Gueixa", em gíria. Caminha pela sala levantando a "ponta da bainha" do quimono (*tsuma* = *zuma*) com a mão "esquerda" (*hidari*).

andar; no momento em que ele ia atravessar a rua com trilhos de bondes, parou um caminhão bem à sua frente e duas crianças saltaram.

— Veja, são os baixinhos! É o caminhão de Mukojima, não? De Kototoi? O que será que aconteceu? — Haruko se levantou.

A menina era a "baixinha" da casa de Yumiko. Metida num casaco cor de vinho, sobrancelhas pintadas e de batom, estava produzida, é óbvio, como uma atriz mirim da ópera. Contudo, o baixinho com quem estava de mãos dadas era um pequeno mendigo; um par esquisito mesmo parado na entrada de um restaurante.

Só a menina entrou, com uma expressão séria, e sussurrou no ouvido de Haruko:

— Ele é um malcriado. Quando estávamos subindo para cá, roubou um parafuso do corrimão.

— Você também é uma menina malcriada. Eu sei que todas as noites você fica colada na banda musical do Aquário, batendo os pés no ritmo.

— Ora, muitas outras garotas fazem o mesmo — respondeu sem acanhamento. Mais uma vez puxou a manga de Haruko, como se contasse um grande segredo.

— O que é?

— A mana está no *Kurenaimaru*, e depois...

— É verdade que vamos nos reunir na torre? — indagou Haruko.

Como a menina assentiu, saímos para o terraço. O garotinho saltou de trás da cortina branca, onde as garçonetes haviam tocado gaita de boca.

— Pare quieto! Você não pode... — ralhou Haruko.

Sem sorrir, o garoto se meteu no espaço lateral do santuário Inari.

Então voltou, mostrando o papel amassado que apanhara. Quando abriu, caiu de dentro uma etiqueta votiva da Companhia Kurenai. A caligrafia que enchia a folha era da mão de Yumiko.

O garoto sacudia a folha e a exibia.

— Estão vendo? Achei!

A noiva da torre

36

Quando está em companhia da menina, o garoto é chamado de "Baixinho do Barco". Ele fora encontrado num barco e acolhido pela Gangue Escarlate. Não deixava de ser um barco, mesmo sendo cenográfico. O menino fora abandonado junto com os materiais de palco jogados atrás da cabana de espetáculos; era ali que vivia.

Nos últimos tempos, ele arranjava alimento atraindo clientes para vendedores ambulantes; todavia, sua especialidade era descobrir objetos suspeitos escondidos em lugares escusos; por exemplo, uma carteira escondida por um batedor. Por isso, agora ele achou entre as plantas situadas ao lado do santuário Inari um pedaço de papel, escrito a caneta por Yumiko, em traços caprichados como de exercícios de caligrafia.

O Baixinho do Barco apanhou o folheto da Companhia Escarlate, que caíra no chão, acendeu um fósforo e tocou fogo.

Tentei dar uma espiada.

Miragem é luminosa quando se apaga.
Relâmpago é escuro quando se apaga.

— O que está escrito? — quis saber o baixinho.

Enquanto subíamos a escadaria em espiral para o pináculo da torre, eu lia em voz baixa o folheto que me fora entregue:

Névoa é fraca pela manhã, densa ao anoitecer.
Bruma é densa pela manhã, tênue ao anoitecer.
Miragem é luminosa quando se apaga,
Relâmpago é escuro quando se apaga.
Folhas de cores outonais tingem-se a partir do cume,
Flores desabrocham a partir do sopé.
Os sons da correnteza são baixos de dia, ruidosos à noite,
Os marulhos são ruidosos de dia, calmos à noite.
Flores de árvores desabrocham pela manhã,
Flores de ervas desabrocham à noite.

— Que significa isso? Palavras mágicas de carta da sorte? Deixe-me ver — Haruko tirou a mão do bolso e disse. — Ah, já sei.

— É um código? — perguntei.

— São rabiscos sem importância... não é, não. Yumiko é presunçosa até para rabiscar.

— E por que foi atirado num local como este?

— Eu não ando atrás de lixo de papel. Dá para imaginar que alguém tentou conquistar Yumiko. "Amanhã, mandarei uma carta com a resposta." Quando recebe a tal carta, está escrita esta charada; pensa, pensa, mas não consegue desvendar. E quando subiu à torre ele compreendeu, por fim, que ela o fez de bobo. Deve ter ficado furioso e jogado o papel fora. É um dos que estão lá em cima. Quer dizer, se foi assim, Yumiko ainda é uma gracinha. Responder amanhã? Ela nunca diria uma coisa dessas.

A torre, cuja cúpula de concreto é semelhante a um campanário de igreja, tem quatro janelas abertas para os quatro pontos cardeais. A parte de baixo das janelas é provida de tela de arame, as paredes são verdes na porção inferior e o resto é azul-claro. Um candelabro de vidro pendia do teto redondo.

Com a nossa entrada, quatro homens que estavam à janela do lado oeste voltaram a cabeça rapidamente com uma expressão hostil; mas, reconhecendo Haruko, um deles disse:

— Baixinho do Barco, você veio de Kototoi?

Da janela leste, via-se bem diante dos olhos o bar Kamiya. À sua esquerda, havia um terreno vazio cercado de tapume, o local de construção da estação Asakusa da linha Tobu. O grande rio. A ponte Azuma, a ponte provisória e as obras de construção do grupo Zendaka. A obra da ponte de ferro sobre o rio, da linha Tobu. O parque Sumida com as margens de Asakusa em obras. Nessa mesma margem, canteiros de pedraria e alguns pequenos barcos, e a ponte Kototoi. Na margem oposta, a Companhia de Cerveja Sapporo. A estação Kinshibori. Os tanques da Companhia de Gás Oshima. A estação Oshiage. O parque Sumida. Uma escola elementar. Uma zona industrial. O santuário Mimeguri. A mansão da residência temporária dos Okuras. O canal de drenagem Arakawa. O monte Tsukuba está encoberto por uma neblina hibernal.

Sem tirar as mãos dos bolsos, Haruko perambulou de janela em janela, olhando os telhados de Tóquio, e por fim disse:

— É interiorana, esta Tóquio! A feira de tamancos velhos, os tamancos sujos de lodo. Uma aldeia que se parece com esses tamancos virados do avesso.

— Você chamou de aldeia. Meus cumprimentos — súbito, um homem abraçou-a e deu-lhe um beijo na boca.

O segundo homem, sem dizer nada, beijou-lhe a boca. Depois, outros dois esperaram sua vez e, calmamente, beijaram-lhe a boca.

O tempo todo Haruko continuou com as mãos nos bolsos, em pé e de olhos fechados; depois disse:

— Sou a noiva da torre de Asakusa. Tem um batom, por acaso?

37

"Tem um batom?" Quando ela perguntou, a baixinha estava com o nariz apertado contra a tela de arame da janela oeste.

O Baixinho do Barco estava com uma mão no ombro de Haruko e mirava-lhe os lábios.

Dessa janela oeste, avistava-se a agência de correio de Asakusa, que lembra uma caixa de lixo caída de lado. Também o letreiro dourado da placa do anúncio gigantesco de confeitos *Kaminari Okoshi*. A subprefeitura de Asakusa. O Denpoin. A avenida Asakusa e suas lojas com decorações de fim do ano (até parece que essas decorações são para o festival de besouros, tal a quantidade de trens e automóveis que se arrastam pelas vias). As bandeirolas comemorativas dos novos recrutamentos do Exército. O templo Sensho de concreto, no final da avenida, com seu telhado de cobre que reflete a luz opaca do sol do entardecer. Do lado direito da avenida, avistavam-se os telhados da Nakamise e as ruas dos cinemas. À esquerda, a agência telefônica e a grande casa de banho público. A loja de departamentos Matsuzakaya, de Ueno. A estação Ueno. O bosque cinzento de Ueno e as fumaças brancas das locomotivas. O Museu Imperial. O salão de atos Yasuda e a biblioteca da Universidade Imperial. A catedral ortodoxa Nikorai. O santuário Yasukuni. O recém-construído Parlamento. Se as manhãs e tardes fossem de céu límpido, poderia se avistar o belo monte Fuji, além das imensas ondas de casas.

Beijar para eles é como assobiar.

Paletó *côtelé*, tamancos altos e grossos de magnólia, aba protetora de sol de celuloide verde, e sem chapéu. O quarto homem, quando terminou de beijar, disse:

— Ei, Baixinho do Barco! E o recado do Gin-ko da bicicleta?

— Sim. Está vigiando o *Kurenaimaru*. Mas fecharam a janelinha e não dá para saber o que acontece dentro. — Fez sinal para Ume-ko encostar o barco na margem.

— Então é por isso que o barco desceu até a ponte Kototoi. — Quem falou foi o tipo universitário, que se voltou, com um pequeno binóculo ainda colado num olho. Usava boné de caçador, mas sob a bainha de longa manta dupla aparecia o *hakama*.

O outro usava boné universitário, e o último parecia um jovem patrão de alguma loja do bairro popular.

— Mas foi aqui que achei agora a carta de Aki-ko.

— Que carta? — a surpresa dos quatro comprovava que não fora um deles que tinha jogado a carta.

Atraído pela surpresa deles, eu me virei da janela do norte. Dessa janela, avistavam-se o cano de ventilação e as bandeirinhas de diversas nações do terraço desse prédio. A rua Nakamise. Os peixes *shachi*[57] dourados sobre o telhado do restaurante Imahan. O portal Niô. Pombas. O pagode de cinco lances, o telhado mais alto com telhas verdes. Um grande pé de ginkgo, que estava na época de desfolhamento de suas folhas douradas. O pavilhão Kannon, em reforma (logo no começo de dezembro, cobriram-se os andaimes com telhas de zinco e cercaram tudo com cortinas de bambu; como meus caros leitores viram no anúncio do posto de recepção de donativos para a reforma, que havia ao lado do portal Niô, essa cobertura externa tem uma largura de 27 *ken*, profundidade de 28 *ken* e altura de 120 *shaku*; foram utilizados cinco mil troncos de cedro, medindo de cinco a dez *ken*, e 250 *koku*[58] de estacas de madeira quadrada, além de quatro mil telhas de zinco). As árvores desfolhadas no átrio. Yoshiwara. Os tanques de gás Senju. Os confins do norte de Tóquio, indistintos devido às nuvens baixas do inverno.

— "Névoa é fraca pela manhã, densa ao anoitecer." O que é isto?

Os homens olhavam o papel, que Haruko tirara da manga do quimono, e discutiam a respeito.

— Mesmo que seja um código, Aki-ko não sabe que viríamos para cá.

— Será que vem mais alguém com o pedido de Aki-ko?

— Quem sabe apareceu algum sujeito aqui e jogou este papel?

— Baixinho do Barco! — chamou o homem de *côtelé*,

---

57. Orca estilizada, ou um peixe imaginário, com o poder de proteger de incêndios.
58. Unidade de volume equivalente a 0,28 metros cúbicos.

analisando o lado avesso da folha. — Vá lá embaixo e tente aquecer a folha na estufa do restaurante. Se aparecer algumas letras, volte imediatamente. Tenha cuidado!

— Patrão, me dê cinco centavos para o café — o Baixinho do Barco estendeu-me a mão, mas a baixinha se intrometeu.

— Eu tenho.

— Não foi nada de mais — explicou-me o homem do boné de caçador. — Ontem à noite, houve uma confusão na casa de Yumiko, se bem que só ficamos sabendo esta manhã. Ela não poderia ficar em Asakusa hoje porque seria perigoso para ela. Ainda por cima, ela pegou o barco com um malandro de nome Akagi. Nós vigiamos daqui porque estamos preocupados. Em segredo, sem que aquela fanfarrona saiba...

— Ei! Vejam aquilo! — o homem do binóculo gritou da janela. — O peito de Aki-ko apareceu, mas ele foi arrastado para dentro. A manga do casaco branco estava vermelha! Era sangue!

— Êpa! Não é a Polícia Naval?

Uma lancha a motor branca se aproximava, rasgando as sombras das árvores da ponte Kototoi.

Feira de physalis e as garotas estrangeiras

38

Uma lancha a motor branca se aproximava, rasgando as sombras das árvores da ponte Kototoi.

Eu havia escrito até aqui e interrompi a história da Gangue Escarlate por cerca de cinco meses, de fevereiro a julho.

— A manga do casaco branco estava vermelha! Era sangue! — gritou o homem que olhava de binóculo, do alto da torre do restaurante Metrô, e Yumiko, de casaco branco, fora arrastada para dentro da cabine do *Kurenaimaru*.

Eu tenho que retomar a narrativa a partir deste ponto.

Isso se passou no grande rio, ao anoitecer de um dia nublado do início do inverno de 1929. A cidade estava movimentada em virtude das ofertas de fim de ano.

Agora já estamos no verão de 1930, na época das grandes liquidações de meio de ano.

E também do comércio de vaga-lumes e de insetos canoros — essas notícias de verão já estavam defasadas com a estação nas noites do parque Asakusa. Muito mais atrasadas do que as flores das vendedoras.

Quase todas aquelas flores dos buquês que as moças vendem na rua são fora de época. Por sinal, caros leitores, já compraram alguma vez? Não há outras flores que percam suas pétalas com mais facilidade.

— Será que eu também vou vender buquês, mas ao estilo de Ginza? — disse Haruko.

— Já existem floristas no estilo de Ginza. Eu vi atrás do Teatro Tokiwa e nos fundos do teatro do parque — eu disse.

— Oh! E comprou?

— Que bobagem!

— Não falo das flores. Dizem que as floristas colocam um cartão de visita dentro do buquê. Tal dia, tal hora, vamos nos encontrar em tal lugar, tudo escrito direitinho.

— E assim vendem as flores que perdem as pétalas com facilidade? Onde é o local de encontro?

— Por isso que estou lhe dizendo para ficar atento! Aquelas flores tem palitinhos no lugar do caule; enfiam o palitinho na cabeça do gineceu até o caule da flor — explicou Haruko. — À primeira vista, você gosta; à segunda, grande sorriso; à terceira, o coração salta. Não é diferente do que faz o falsificador de *shunga*[59]. Embora Asakusa seja uma escola de trapaceiros, as obras-primas falsificadas que eles vendem não são as piores, comparadas às fotografias. Atrizes de cinema em traje de banho — essas fotos são das mais inocentes, não deixam de mostrar uma beleza meio desnuda. O caso mais bem elaborado anuncia: "Prestes a cair...", e traz, na verdade, um filme de samurai em luta de espadas. Outro exemplo: a cena de Kan'ichi dando pontapé em Omiya na praia de Atami[60], em cores vivas. Um bando de sereias peladas, só de meias, fazendo ginástica coreografada, isso numa fotografia de gincana esportiva de

---

59. Gravura *ukiyo-e* com motivos eróticos.
60. Famosa cena do romance *Konjiki yasha* [O demônio dourado], de Koyo Ozaki (1867-1903).

algum colégio feminino. Os mais safados são os livros. É muito comum acontecer, não é? Uma revista feminina traz de brinde um livreto enfiado entre suas páginas. É aquilo. Colam papel branco na capa do livreto, mas por baixo dá para ver direitinho: "Guia de tricô e trabalhos manuais", ou "Culinária ocidental e chinesa para todos". Apresentam o conteúdo da trapaça com lábia e gestos. Pois, então, nos romances essas coisas também estão na moda, não é?

— Tal qual um teatro de revista de Asakusa — eu disse.

— Hum. Sim, mesmo que seja falso — rebateu Haruko, com desdém. — Se você espetar o corpo da garota nua, escorre sangue de verdade. — Quando acabou de dizer, ficou estalando o physalis do mar[61] que tinha na boca, fazendo barulho como uma rã.

Os dias de maior graça do Kannon de Asakusa são 9 e 10 de julho. Caso haja adeptos de Kannon entre os senhores, saibam que os dias de maior graça são os seguintes:

    1º de janeiro (equivale a 100 dias)
    Último dia de fevereiro (equivale a 100 dias)
    4 de março (equivale a 90 dias)
    18 de abril (equivale a 50 dias)
    18 de maio (equivale a 100 dias)
    18 de junho (equivale a 50 dias)
    9 de julho (equivale a 46.000 dias)
    10 de julho (equivale a 46.000 dias)

---

61. No original, *umihoozuki*. Ovissaco de certas conchas espirais, com a forma semelhante a um physalis. Tanto o physalis como o physalis do mar eram brinquedos de meninas, que os colocavam na boca para estalar com o movimento da língua.

24 de agosto (equivale a 4.000 dias)
20 de setembro (equivale a 6.000 dias)
19 de outubro (equivale a 1.000 dias)
7 de novembro (equivale a 6.060 dias)
19 de dezembro (equivale a 4.600 dias)

Em outras palavras, tal como eu e Haruko, quem ora no Kannon no dia 9 de julho recebe graças que equivalem a 46 mil dias de visitação. E, se completa três anos e três meses sem faltar um dia sequer das graças, "realiza todos os desejos, cura as doenças; a família e os descendentes conseguem prosperidade; e toda a família e parentes alcançarão o Nirvana".

Como sou um mero mortal, nem suspeito como obtiveram números tão úteis; contudo, fico penalizado por quem chega para visitação sem saber dessas datas. Por isso, nas datas dos 46 mil dias afluem tantos fiéis que o templo Kannon — que mesmo na véspera do Ano-Novo fecha seus portões no final da tarde — recebe-os com celebrações suntuosas até a meia-noite.

Ainda por cima, acontece a Feira de Physalis.

Há uma plantação inteira de physalis verdes penduradas de ponta-cabeça — eis o fim da estação das chuvas e o começo do verão! E dos amuletos para proteção contra trovões vendidos nesse dia pode-se ouvir o roncar dos raios.

39

Uma horda de polinésios passa, assustando as pombas matinais do templo Senso, que levantam voo. São turistas.

Uma coreana caminha carregando uma criança à moda de seu país, prendendo-a com uma faixa preta na cintura da calça branca. Ela anda descalça sobre o asfalto, levando seus sapatos de brim na mão. Passam várias delas numa só noite. É a rua Matsukiyo, defronte ao Teatro Shochiku.

Sob os beirais do Shochiku, de luzes apagadas, quatro crianças chinesas brincam de pega-pega. Todas as quatro usam rabo de cavalo no topo da cabeça ao estilo chinês. Gritam como macacos, passam por baixo das barras de latão que cercam a cabina de venda de tíquetes, e fogem com uma habilidade simiesca. As casas de espetáculos já começam a fechar. São as crianças que vendem cartas de adivinhação, ervilhas, amendoins, lula seca e semelhantes nos cafés de Yoshiwara e nas ruas secundárias de Asakusa. Está chegando a hora do comércio para elas, crianças japonesas, coreanas, chinesas. Aparecem no café numa só noite cerca de quarenta a cinquenta crianças-vendedoras, por isso aquelas quatro precisam usar rabo no topo da cabeça para que saibam que são chinesas.

Haruko levantou a mão e chamou uma das garotas brancas que nos ultrapassaram a passos largos.

— Varia!

A partir daqui, farei com que Haruko conduza meus caros leitores. Isso porque em *A Gangue Escarlate de Asakusa*, recentemente transformada em filme, Yumiko morre no fim da história. Mas o que ela colocara na boca, a bordo do *Kurenaimaru*, foram apenas seis grânulos que continham cinco miligramas de arsênico.

Varia e outra garota que Haruko chamou cortaram a rua feito rajadas de vento colorido, como potros do campo, que correm pisando forte com os cascos.

Eram duas, de braços dados, assobiando, sem meias, com vestidos vermelhos de tecido leve como se fossem trajes de balé, sem roupas de baixo e sem chapéu. Parecia que nada significava para essas mulheres de pele alva serem vistas por alguém de pele mais escura. Uma demonstração de menosprezo pelo apetite sexual dos japoneses.

— Ei, as galinhas importadas estão ampliando o território? — indaguei.

— Não sei se é isso, mas nos últimos tempos cresceu o número de estrangeiras no parque. Tudo indica que em pouco tempo vai virar um lugar globalizado sem lei. Não, não acredite no que digo. É uma bobagem que inventei.

Nesse instante, Haruko levantou a mão e a abanou, como se estivesse numa despedida no porto.

— Mira! Varia!

Fiquei atônito. Uma garota alta se virou, segurou a ponta da bainha de sua saia curta, se abaixando um pouco, e jogou um beijo em nossa direção.

— Por isso não gosto da gente estrangeira — disse Haruko, virando o rosto para o outro lado.

— Tem dezesseis, aquela — continuou. — Umas pernas longas que causam a impressão de ser uma mocinha fresca, o que dá uma sensação agradável até para uma mulher. Comparada a ela, os quadris das dançarinas adolescentes japonesas não são nada atraentes, parecem ressequidos. São irmãs. Mira tem dezoito. Estão voltando para casa de bonde, que pegam na estação Kaminarimon.

Você não tem chance hoje. Peça para Tsujimoto conseguir outra. Ele me disse que tem umas branquinhas de quinze ou dezesseis, bem gracinhas. Elas desfilam pela Nakamise fazendo de conta que são dançarinas de show de variedades. Essas que passaram têm outras irmãs, uma de catorze e outra de vinte e um. As quatro dançam juntas no Teatro Mansei: são as irmãs Danilewski.

As pernas sem meias das mocinhas russas exibiam uma alvura transparente, como se tivessem sido lustradas com óleo perfumado. Quando essas pernas batiam no asfalto nessa noite — tão firmes e frescas, da mesma maneira que os physalis verdes —, remetiam muito mais à verdadeira cor do verão do que os pés descalços que aparecem entre as bainhas de *yukata* das mocinhas japonesas.

Quando elas dançam no palco, os corpos ficam empapados de suor. O espectador enxerga o suor que escoa pelo pó branco da maquiagem.

Um mês atrás, no início de junho, começo do verão, Yoshiko Haruno, que dançava no Teatro Elétrico, se incomodava com o suor. Ela me contou que, quanto mais se esforçava para não suar, mais suava.

Entretanto, quando Yumiko atraiu Akagi para o *Kurenaimaru*, as pernas das dançarinas do Aquário estavam vermelhas devido ao frio.

Desde aquele tempo, decorreram quase sete meses. Pois bem. Peço que meus caros leitores compreendam ser impossível retratar esses sete meses de Asakusa, tanto quanto perseguir o sol do ano passado.

Ao lado do posto policial de Matsukiyo, Haruko puxou um folheto da Companhia Escarlate, que guardava entre sua faixa de quimono e, como se pegasse um papelote de pó de arroz, me disse:

— Eu me despeço aqui. Tenho que atender a um cara chamado Hiko, o Canhoto, que veio de Juku e me pede um trabalho complicado. Não sei se sou capaz desse tipo de serviço, mas isso também faz parte das leis de Asakusa. Ora!, dizem que faz. Adeusinho.

"Juku" significa o bairro de Shinjuku.

A Turma da Faixa Vermelha

40

O posto policial fica na esquina da rua Matsukiyo com a avenida Asakusa, à esquerda de quem sai do portão dos fundos do templo Hongan, a oeste da estação Tawaramachi. Nem preciso explicar que o portal Kaminari é o grande portal leste de Asakusa, enquanto o grande portal oeste é a rua Matsukiyo. De acordo com as estatísticas, o número de visitantes em Asakusa chega a cem milhões por ano; o dinheiro deixado em espetáculos, serviços de alimentação e em casas de gueixas perfaz, anualmente, doze milhões e seiscentos mil ienes.

A tabacaria que fica na entrada leste faturava duzentos ienes por dia. Porém, o movimento dessa tabacaria cessou de repente. A casa ficava em frente ao parque, mas no outro lado da avenida. A reformulação das vias feita pelo Departamento de Restauração fez com que a prosperidade da tabacaria se tornasse uma lenda do passado.

A avenida era larga demais para uma pessoa atravessar só para comprar cigarro. Por outro lado, com essa reforma surgiu, por exemplo, um lado da calçada em que o passeio um tanto arrogante das moças russas não chamava muita atenção.

Foi nessa calçada pouco frequentada por transeuntes que perguntei para Haruko, olhando as etiquetas votivas que ela segurava:

— Vai precisar das vermelhas esta noite?

— Oh! Na verdade, só tenho as vermelhas. Sem querer acabei usando só as verdes. Pelo visto, sou uma incurável caçadora de homens.

Para eles, as etiquetas votivas não passam de uma brincadeira do grupo, uma amostra do espírito do bairro popular. Todavia, dependendo da ocasião, são seu cartão de visita, certificado ou aviso de perigo.

É um cartão de papel grosso, do tamanho da palma da mão, onde se destacam quatro caracteres de ideograma, "Companhia Kurenai de Asakusa", em traços típicos da escola Kantei (fortes e arredondados com contornos brancos), impressos em vermelho ou verde. Fora inspirado por semáforos de bondes.

Suponha que Haruko tivesse apanhado um homem desconhecido do bairro e entrado numa loja de doces Meiji em frente ao portal Kaminari. Na entrada, ela deixa cair uma etiqueta verde. Um membro do grupo que estiver passando pelo local a encontra e vai extorquir algum dinheiro do homem.

Por outro lado, sempre era possível que um dos membros caísse em alguma dificuldade, sem saber quando, por quem, onde e em que situação. Então, aproveitando o descuido do outro, ele colaria uma etiqueta vermelha, por exemplo, na porta de um obscuro restaurante chinês. Espalharia etiquetas vermelhas pelo caminho que conduz ao terreno baldio escuro. Estaria assim informado o perigo, pedindo a ajuda dos companheiros.

Caso uma das garotas desaparecesse sem deixar pista, a primeira coisa a fazer seria perguntar aos sem-teto.

— Viu uma etiqueta dessas por aqui?

Pois esses sem-teto varrem e limpam a frente da casa de comes e bebes às altas horas da noite ou de manhã bem cedo, como gratidão por ganhar restos de refeição.

— A etiqueta vermelha não tem serventia pra mim, mas acabei ficando em dívida com a Faixa Vermelha dos velhos tempos — continuou Haruko. — Hiko me pediu para eu apontar os caras do clube de Ema[62]. Ele decidiu vir de Juku, mas não sabe nada sobre como funciona Asakusa. Eu ando por aí com ele, ensinando um por um que encontramos, é bem maçante. Minha vontade é de colar estas etiquetas nas costas deles. Os caras de Ema... é verdade!, até um patife do Ema vai gostar de colocar à venda o próprio corpo com uma etiqueta vermelha.

— Mas não há por que você se oferecer para esse trabalho perigoso.

— Perigoso? Que perigo pensa que vai ter? Sou um pedaço de mulher! Não sou nem tão feia nem tão decente para apanhar de um homem! — riu, balançando os ombros. — Dê uma olhada naquele andar de cima.

Um vestido estampado de flores estava pendurado no cabide da parede. Havia também um chapéu feminino com uma rosa graúda.

Era a matriz dos hotéis Yamabun, um anexo bem modesto em estilo japonês, colado ao prédio de estilo ocidental.

Numa cadeira de vime colocada no centro do quarto

---

62. *Ema* é uma pintura ou plaqueta votiva de madeira com o desenho de um cavalo, nela são escritos votos ou agradecimentos os quais são oferecidos ao santuário ou templo.

de tatames, uma mulher branca abraçava no colo uma menina que aparentava ter uns dez anos.

— Signe Rintara e Leena Rintara, a cantora e a dançarina da Finlândia, estão se apresentando no Teatro Teikyo.

O hotel ficava a três ou quatro casas da tabacaria que perdera os clientes. Apenas as roupas eram luxuosas. Única bagagem da sua pobreza.

41

"A faixa vermelha dos velhos tempos", dissera Haruko. Mas não é um tempo tão distante.

Os caros leitores recordarão sem dificuldade daquele verão em que a moda da faixa de quimono vermelha sem forro varreu o mundo.

Balconistas, telefonistas, moças que passeiam bisbilhotando as bancas noturnas; se não me falha a memória, aquela faixa fazia sensação entre elas. O vermelho dava um toque de garotas rebeldes.

Nessa época, Haruko estava em Asakusa e usava uma faixa vermelha sem forro. Havia uma gangue de moças chamada Turma da Faixa Vermelha.

Ao mesmo tempo, a faixa vermelha era moda naqueles dias. Era uma atração irresistível para as moças. Por isso, além de Asakusa, a Turma da Faixa Vermelha tinha filiais em quase todos os locais movimentados de divertimento em Tóquio. Usar o quimono com uma faixa vermelha: não eram poucas as que aderiam ao grupo só para poder usar uma faixa vermelha. Sim, era uma moda absoluta. A faixa vermelha não era exclusividade da Turma da Faixa Vermelha. As mocinhas eram atraídas só porque a moda tinha o mesmo nome que a gangue.

Os caros leitores devem estar sempre atentos à moda por causa de seus filhos e filhas.

Os sábios leitores podem rir das moças da Turma da Faixa Vermelha; contudo, por acaso saberiam quantas moças foram enganadas de maneira absurda e vendidas feito crianças inocentes só no parque Asakusa?

— A moda deve ter acabado no outono. Você não pode usar uma faixa sem forro para sempre — eu disse para Haruko um dia desses.

— Sim. Isso nos deixou com uma dor de cabeça. No outono, pensamos em trocar para faixa preta, de cetim preto.

A ideia surgiu porque justo nessa época havia em Asakusa uma gangue de rapazes chamada Turma da Faixa Preta. Além disso, havia alguns pares de namorados entre os dois grupos.

— Mas quem deu a ideia foi a "Ito de cabelo lavado". Claro que ela é aquela que um tempo atrás estava no Grupo de Danças Eróticas, embora só tivesse dezoito ou dezenove anos, cantando "Oh! Shinbashi, os tamancos nos pés sem meias..."; um tipo enxuto, de temperamento típico de uma mandona. A faixa de cetim preto ficava perfeita para ela, mas não para qualquer uma. Logo começaram as queixas. Um grupo de mulheres nunca dá certo onde quer que seja. Uma burra como eu sabe que é mais tranquilo viver tirando proveito das fraquezas femininas. Tanto Yumiko quanto Ito deviam aprender comigo.

— Outro dia você me apresentou a Ito, mas ela disse que andar em sua companhia seria arriscado.

— Realmente, é bom evitar. Mas não é igual à Gangue Escarlate. Antigamente, falavam que, quando Ito andasse no parque de cabelo lavado, caía chuva de sangue. Por um tempo, ela desapareceu, aí então fiquei abobada. Andou trabalhando de balconista numa loja de departamentos. Juntou uma boa grana e reapareceu. Tenho certeza! Andou seduzindo os balconistas inocentes com a habilidade da velhota que controlava as casas de prostituição.

Asakusa e as lojas de departamentos. Os caros leitores achariam um disparate esta imaginação de Haruko?

Há um clube secreto com sede em Shinkoume, em Honjo, no outro lado do grande rio, que atua basicamente em Asakusa. Sei o nome do clube, mas no momento não posso dizê-lo. Falam que muitos membros femininos são funcionárias de lojas de departamentos. Uma pessoa da Gangue Escarlate me informou: casa tal, o andar e a seção. Vez por outra vou até lá para vê-las, mas quando chego perto, sinto compaixão e não consigo levantar a cabeça. O que contei é apenas um exemplo. Contudo, isso não tem nada a ver com Ito.

Creio não haver leitores tão inexperientes de vida a ponto de achar absurdo o exemplo anterior; mas no "Estudo do mundo de Asakusa" é um pouco mais absurdo.

Como, por exemplo, o caso das operárias das fábricas de fiação de Shinshu[63] e Asakusa. Fiquei atônito quando soube.

"Os fios de seda de Shinshu estão ameaçados de extinção?"

---

63. Parte da província de Nagano.

Os caros leitores devem ter lido no jornal de 13 ou 14 de julho uma reportagem com esta manchete em tipos gigantescos.

Cerca de trezentas fábricas de fiação de seda das localidades Shimo-Suwa, Okaya, Minato, Kawagishi, Konan, Kami-Suwa, Miyagawa, Tamagawa e Eimei, no município de Suwa, fecharam devido à queda dos preços dos fios. O fechamento das fábricas do setor está se propagando por todo o Shinshu e tende a se alastrar para as províncias de Shizuoka, Yamanashi, e o país inteiro.

Mais de cem mil operárias estão desempregadas.

Aonde irão essas mulheres?

Provavelmente voltarão para suas casas na montanha e no campo. Outras irão se reunir para lutar contra os capitalistas. Mas não todas.

Um contingente de obscuros aliciadores de mulheres está se dirigindo para lá, a fim de recrutar aquelas que não fazem parte da maioria e trazer para Asakusa.

Mofos e shows

42

O lago Hyotan estava verde. No verão, algas verdes proliferam na água estagnada.

Não distante dali, seguindo pelo caminho arborizado e um pouco sombreado, havia uma praça. Passava das duas horas da madrugada.

Cerca de vinte homens estavam acocorados formando um círculo. Dei uma olhada e vi que havia pequenos caranguejos no centro. Um homem segurava em cada mão um fio que prendia um caranguejo, fazendo com que brigassem. Os caranguejos estavam brancos de poeira; suas pinças, abaixadas e sem forças. Um policial de uniforme branco também assistia. Deu um sorriso torto e se afastou.

— Ei! — O sujeito, que estava em pé e usava roupas de alpaca e chapéu-panamá falso, chamou o homem dos caranguejos. — Como vai? Encontrou trabalho?

— Pois é, patrão. Fui até Shibaura, mas não consegui nada. Só achei estes. Espere para ver de manhã. As crianças vão ficar contentes.

— Hum.

Sentindo os olhares dos homens que formavam o círculo, o sujeito em pé, que parecia se sentir vaidoso, abrindo e fechando seu leque, foi dar uma volta para conferir as mesas de comida gratuita. Realmente, hoje em dia um policial jovem não resistiria a trocar uma palavrinha com os veteranos do parque. Infelizmente, tem aumentado o número de novatos, sem educação, que nem conhecem o policial, apesar de dormir a céu aberto.

"Moscas, percevejos, gatos doentes, cavalos que sofrem de insolação, homens e mulheres, bares movimentados, espetáculos nas ruas — é o verão."

O verão é um circo de cavalos. Sim. Acontece de tudo. No inverno, a maioria das pessoas fica dentro de casa. Porém, no verão vivem nas ruas.

Portanto, no verão os bancos e o espaço sob os beirais viram camas do paraíso. Não deve haver no Japão outro hotel com uma quantidade de leitos como a terra de Asakusa no verão.

Dizem ser impossível contar num ábaco os vagabundos de Asakusa.

Parece que as estatísticas da repartição pública não são confiáveis. Eles ficam sabendo antes que a repartição vai fazer um levantamento e aí se mudam para outro lugar. Por isso, ninguém pode informar se os hóspedes desse hotel são quinhentos ou oitocentos; mesmo assim, tem gente demais neste verão.

Nem preciso dizer que com a chegada do verão eles aparecem com sua cor e também se proliferam de repente, tal como as algas do lago Hyotan; mesmo assim, tem gente demais neste verão.

Nem é necessário se perguntar o motivo.

Jornalistas culparam a recessão até no caso do roubo de um punho de espada da estátua de bronze de Danjuro[64], os senhores leitores lembram?

---

64. Ator de kabuki. Há uma estátua dele nos fundos do parque Asakusa.

"Crianças desnutridas" ou a "família se suicida": os caros leitores já se acostumaram com essas estranhas frases. "Recessão" e "erotismo": em 1930 os jornalistas só escrevem em torno desses temas.

A história da recessão já não causa impacto no ser humano. Sendo assim, apareceu a seguinte manchete: "A recessão não só causa infortúnio às pessoas, como está matando até Buda." Examinaram as oferendas do Kannon de Asakusa. Apesar da recessão, houve um aumento, o que nos instrui sobre o coração humano; mas isso foi no ano passado. Neste ano houve uma redução drástica.

Sob a manchete de "Até Buda está triste", relatam a pouca procura de presentes durante o período de Obon[65] e a diminuição das oferendas.

O mesmo acontece em Asakusa. Tentem comparar as ofertas de fim de ano com as de meio de ano. Pelo menos a área comercial da Nakamise ergueu um portal decorado, instalou toldos na beirada com estampas quadriculadas em branco e azul-marinho, enfeitando com flores de ipomeia — não, talvez sejam bela-da-tarde ou boa-noite, modestas flores artificiais, mas em forma de trombeta. Entretanto, nas outras ruas de comércio não há nem flautas nem tambores, muito menos decorações.

Nada há de estranho que a mocinha que, em maio, montava o cavalo sagrado no festival do santuário Sanja, em junho estivesse na degradante situação de sustentar sua família com o corpo.

---

65. Celebração budista de finados, que ocorre em meados de julho ou agosto, dependendo da região. A duração pode variar entre três, cinco ou mais dias, de acordo com a tradição local.

Na realidade, a razão de ter conhecido Hiko teve algo a ver com a recessão.

— Compra um *yukata* para mim? — era uma chantagem...

43

"Paira no ar uma fragrância das verdes folhas de *aesculus*, proporcionando uma atmosfera de ópera da região da Champs-Élysées, em Paris — solista: senhora Odette Delteil, soprano dramático."

É o anúncio de um concerto na primeira semana de julho que está na placa do Teatro Shochiku.

Na segunda semana: "Cheiro do erotismo que emana da beleza de pérola da nudez — bailarinas russas: senhora Varenna Radosenko e sua trupe."

O Teatro Mansei anuncia Tamara, Mira, Varia e Luba — Metro Companhia de Dança das Irmãs Danilewski. Dança cigana, dança cossaca, dança espanhola, dança jazzística, sereias; as moças russas cantam em coro a "Canção de Kanda" e a "Canção da moderna Ginza", em japonês com um doce sotaque russo.

No grupo de balé misto do Teatro Teikyo, temos Signe Rintara e Leena Rintara, a cantora e a bailarina da Finlândia.

Sob esse chamariz, a mãe Signe canta a "Canção Okesa", enquanto Leena, que tem uns dez anos, dança "Sado Okesa", com uma coroa de flores e um quimono de festa de longas mangas.

Logo em seguida, a menina aparece travestida de homem, usando um conjunto de cetim preto e cartola, e segurando uma bengala.

Eu sou Charlie Chaplin
O sempre alegre palhaço
[...]

Cantando, ela segue dançando uma mistura de passos de pato de Chaplin com dança cossaca.

Não há no mês de julho outra artista nas casas de espetáculo em Asakusa que ganhe tanto aplauso quanto essa menina.

De modo geral, o público de Asakusa é gentil com as artistas estrangeiras. Isso fica evidente, em especial, no caso de uma artista-criança.

Depois da apresentação, Leena vem à plateia para vender cartões-postais com seu retrato. É linda. Lembrei-me de Lin Jinhua, a garota chinesa que eu conhecera havia dez anos.

Caros leitores, perdoem-me por algum tempo minha triste recordação.

"Lin Jinhua está se apresentando em Shinjuku."

Foi no segundo dia do último Ano-Novo. Fiz questão de ir vê-la na miserável tenda de espetáculos em Shinjuku. Era um show enganoso, Lin Jinhua não estava no programa. Não tinha relação com isso, mas a cabana ao lado apresentava "A garota-urso". Nessa primavera, ela estava em cena na cabana dos fundos da Nakamise. Era uma bela garota-urso.

Ficava bem ali, justo onde está a cabana da garota-urso, ao lado do restaurante Imahan, que fora antigamente a cabana do circo de cavalos. Foi nesse circo de cavalos que vi Lin Jinhua.

Assim como Leena, ela tinha uns dez anos. O corpo esbelto da menina que conduzia os estranhos "movimentos acrobáticos" lembrava um fantástico inseto; era belíssimo. Era um inseto nobre e melancólico. Ela também vinha vender seu retrato em cartões-postais.

Dez anos depois, para minha grande surpresa, vi Lin Jinhua.

— Ei, vamos sair daqui. Como ficou feia, gorda e baixinha! Veja o batom naquele rosto vulgar.

Hiko, o Canhoto, escancarou a boca, seguindo-me com o olhar, mas sem se afastar do lugar. Foi na casa Egawa-Taisei, em Asakusa.

Por outro lado, as mais belas pernas, disparado, em Asakusa neste julho eram de Varia Danilewski, que me recordavam Anna Lubowski.

Entretanto, caros leitores, já que estou falando de recordações, fariam a gentileza de ler o que escrevi em 1923?

***

Na ladeira Kagurazaka, sob uma fria chuva de outono, a estrela número um do Teatro Dragão d'Ouro e sua mãe verdadeira, também cantora de ópera, iam debaixo do mesmo guarda-chuva. A mãe segurava o cabo do objeto. A filha fazia com que a mãe a seguisse como se fosse sua serva; no entanto, caminhava de um jeito que demonstrava respeito.

Quem olhasse a moça de vestido ocidental e sua mãe, ambas revelando desgaste — sem dúvida, perderam tudo no incêndio, o palco e talvez também a casa —, em vez de odiar a moça, simpatizaria com a mãe, que cuidava da filha com carinho; era assim o aspecto das duas.

***

Essa moça — já não haverá problema em dizer — é Aiko Sagara, que recentemente reapareceu com sucesso no cinema.

44

É a continuação do que escrevi sete anos atrás. Pulando uma parte...

***

A história volta ao início. Cerca de quinze dias após o grande terremoto, duas cantoras de ópera sob o mesmo guarda-chuva passavam pela ladeira Kagurazaka.

Nesse momento, lembrei-me da garoa no inverno de Asakusa quatro ou cinco anos atrás.

Foi nos tempos em que o Teatro Nihon fazia sucesso com ópera, e até Ryukichi Sawada tocara "Sonata ao luar" naquele palco. Lá também se apresentou um grupo de russos refugiados da revolução.

Havia a madame Gan Starski. Nina Pavlova, que devia estar no Kagetsuen, em Tsurumi, dançou ali. Entre eles estavam os irmãos Lubowski: Anna, Daniel e Israel. Anna, a mais velha, tinha treze ou catorze anos; Israel, cerca de dez. Anna era bela e soberba.

Eu e o amigo A., estudantes do Ikko[66], aguardávamos por Anna na saída de serviço do teatro. Um velho russo em

---

66. Abreviatura do mais prestigiado colégio de Tóquio, onde Kawabata estudou.

farrapos acompanhava os três irmãos. O casaco de Anna também estava rasgado, embora lhe ficasse muito bem. Fiquei profundamente chocado com a pobreza deles.

O pai e os filhos pararam diante da pista de patinação, que ficava ao norte do Teatro Misono. O pescoço de Anna estava junto do meu ombro, e eu ficava olhando sua pele.

Com o sapato cheio de barro, ela pisou o pé do ginasial, que estava ao seu lado, e, muito ruborizada, sorriu para ele. O ginasial também ficou vermelho.

Depois, os quatro foram até Ikenohata, onde o pai Lubowski comprou uma pequena porção de castanha assada.

Entraram num miserável albergue, um pouco além do Teatro Mikuni.

Nós ficamos olhando o andar superior do albergue.

— Amanhã alugarei o cômodo ao lado e comprarei Anna. Cinquenta ienes devem bastar — disse A.

Daí a pouco, começou chover. Então, olhei para trás com a intenção de nos abrigarmos da chuva sob o beiral do Mikuni e fiquei surpreso. Recostado nessa parede, um rapaz permanecia de olhos fixos no andar superior onde estava Anna. Era o ginasial que fora havia pouco pisado por Anna.

Eu ficava pensando muito tempo nessa garota Anna.

Em certa época, havia pensado em escrever um romance extenso e estranho, tendo como palco o parque Asakusa, e no qual apareceriam somente aquelas moças miseráveis: operárias da fábrica de cigarros de Kuramae, atendentes de casas de cinema, a menina do circo de cavalos e a que dança sobre a bola. Considerei também a possibilidade de incluir essa Anna e a garota chinesa de exercícios acrobáticos, Lin Jinhua.

O outro estrangeiro a me deixar triste foi o líder do circo aquático, que veio dos Estados Unidos este ano. Instalou-se em uma escada de cem pés no terreno queimado, onde ficava o Teatro Azuma, e saltava do seu topo para o pequeno lago.

Uma vez eu havia visto uma mulher enorme saltar da altura de cinquenta pés, imitando uma gaivota, e ela parecia mesmo uma gaivota; era algo muito belo de se ver.

Segundo eu soube, antes de subir a escada o homem se despede da equipe do circo numa cerimônia, que no Japão equivale a beber uma taça de água. No topo, ele ora para o céu estrelado. Quem observa de baixo percebe que o céu é varrido por ventos fortes e frios.

Então, ele arqueia o corpo para trás, salta de costas mergulhando com a cabeça e, sem nenhuma pressa, dá uma volta no ar, de modo que, ao cair no lago, seus pés atinjam a água primeiro.

Durante todo o tempo em que exibia essa acrobacia, o homem se mostrava nada simpático. Não sorria sequer uma vez para o público enquanto subia a escada; depois de cair na água, ele alcançou a margem com duas ou três braçadas e entrou no camarim sem se voltar para trás. Do começo ao fim, seu semblante era melancólico, e ele parecia não ter qualquer interesse no que estava fazendo.

Nós achamos interessante esse líder do circo. Queríamos vê-lo saltar do alto da torre de doze andares, que ficava logo ao lado.

***

Eu pensava em escrever um romance extenso e estranho. E comecei finalmente a escrevê-lo, caros leitores, dez anos depois.

45

Entretanto, meus leitores, para dizer a verdade, não tenho qualquer receio em contar um pouco de minhas recordações do tempo de prosperidade das óperas.

Pois hoje Asakusa é próspero graças às atrizes de ópera de dez anos atrás, que renasceram como dançarinas de shows.

Sendo assim, retorno para julho de 1930. Quanto ao grupo misto de danças do Teatro Teikyo, de Leena Rintara e sua gente, até mesmo eu, que não me abalara nem com o *jazz kappore*, quando me deparei com a dança mista "Os arreios", de Onna-Umibozu Honensai e Namiko Matsuyama, fiquei atônito: "Isto é muita mistura", pensei.

No Conjunto de Jazz Nipo-Ocidental, Namiko é o marinheiro de olhos azuis, vestindo uma roupa típica de marinheiro; Onna-Umibozu é uma mocinha japonesa com um quimono de festa, que manobra um pano branco à guisa de arreio e gesticula muito com as mãos e os pés. Os dois brincam de namorados. Tudo isso enquanto o marinheiro dança uma dança ocidental; e a moça, uma dança japonesa.

Até mesmo Morino Sawa, que apresentou em junho sua dança na companhia Tenkatsu, no Teatro Showa, veio se "misturar" para apresentar as mesmas peças de dez anos atrás: "A aia" e "A vida cigana". Quando ela movia o rosto, só se notavam as rugas, que lembravam as de um macaco.

Comparando com isso, Tokiko Kimura, do Teatro Otowa, conservava descaradamente sua juventude.

— Pode haver no mundo uma mulher tão descarada e que faz o que quer? — disse-me, assombrada, uma moça travessa.

No Teatro Nihon, apresenta-se pela primeira vez a Companhia de Danças Eróticas.

"Danças frenéticas das *It Girls* nuas."

São as palavras do cartaz, meus leitores!

Takeo Kitamura e Goro Fujimura, no Teatro Tokyo. Os títulos da Companhia de Shows Cisne com Enko Fujita são: "Grande marcha da nudez" e "Tudo e qualquer coisa grotesca!"

Sumiko Kawai, que se parece uma idiota inchada de gordura, retornou para o Teatro Nihon.

Kaoru Sawa se mudou do Teatro Kannon para o Teatro Asakusa. Rikizo Taya e Teiichi Yanagida também ora aparecem, ora desaparecem. Não acham que já basta para esvaziar os depósitos de cantores de ópera?

Estão ocorrendo a quarta e a quinta edições do show da Paramount no Teatro Elétrico. Em junho houve danças de jazz de Yoshiko Haruno e *charleston* de Eiko Minami. Apenas essas danças combinavam com o ano de 1930.

Até o Teatro Hatsune, que terminou com a recitação "A lua poente do castelo solitário", feita por uma jovem cantora em estilo de narrativa tradicional, renovou a tinta do cartaz: "Festival de apresentações artísticas ultramodernas."

"Tudo e qualquer coisa" passa a ser "*vaudeville*". É "*variety*". É "*review*".

Agora, "Okichi, a chinesa", da companhia de danças Sumiko Kawai, e "*Kiss Dance*", do Cassino Folies, foram severamente repreendidas pelas autoridades por ser "eróticas" demais.

Nos dias seguintes àquele em que eu caminhava com Haruko e fomos ultrapassados pelas moças russas, assisti a esses shows de Asakusa que acabei de relatar.

Entretanto:

Devido às sérias dificuldades de viver, os loucos inundam a capital imperial.

Todos os hospitais estão superlotados.

Pacientes menos graves recebem alta, a fim de se obter rotatividade.

Não se trata de cartazes de shows. São grandes manchetes dos jornais.

Hiko, o Canhoto

46

A maioria dos sem-teto de Asakusa é um pouco aloucada. Asakusa é um gigantesco hospício. No entanto, nem todos que dormem a céu aberto são mendigos ou sem-teto. Nem preciso explicar que neste verão afluiu uma multidão de desempregados. Portanto, é lógico que aumentou o número de mendigos e sem-teto.

Todavia, por causa da depressão, até os restos de alimento estavam escassos. Os ganhos dos mendigos também diminuíram. A quantidade de bancos do parque tem limite. Além disso, há a rigorosa lei da divisão de território. Quem desrespeita não só é expulso de Asakusa, como corre risco de ser morto. Apesar disso, como estavam no "período de fome", os mendigos proliferaram feito as algas do lago Hyotan.

Certa vez ouvi: "Deve ser um diarista que saiu de um albergue para vir cair no 'céu aberto'; deve ser um aparvalhado que fez algum trabalho lucrativo, bebeu como peixe na água, fumou feito chaminé, e gastou tudo o que sobrou com fogos de artifício. Assim que retornou ao parque, soltou os fogos."

— O cara deve ter pensado que, por ser um novato e não ter qualquer conhecido no parque — comentava — precisava tentar ganhar popularidade, então soltou os fogos de artifício. A noite terminou, amanheceu, e ele voltou a ser o peixinho dourado que enche a barriga com água.

Os que olhavam a briga de caranguejos também seriam alguns desses novatos que não conseguiram comida de graça.

Dando uma olhada ao meu redor, os bancos estavam cheios. Havia três homens sentados em cada banco, ninguém podia se deitar.

Dirigi-me à sombreada área de árvores em passos cuidadosos. Sobre a ponte arqueada de concreto, conversavam:

— Não é fanfarronice, o que você está dizendo? Sair para viajar, e a grana para a *passaje*?

— Não sabe ganhar dinheiro, hein? Acorda! Em Shinshu, cara, tem muita mulher, não se consegue caminhar sem pisar nelas. Todas elas cheiram a leite e estão perdidas sem ter lugar para onde ir; enganá-las é uma brincadeira.

— Acha que junta assim fácil tantas putas bonitonas?

— Sem problema. É só mandar que botem umas roupas ocidentais.

— Umas vinte ou trinta roupas ocidentais bastam?

— É como a história de fazer dinheiro falsificado. Mil ienes por cabeça, certo?

— Cuide para não soltar a língua.

— Vamos atacar firme para corrigir este mundo!

Deixei o local com o coração estremecido.

Meus leitores, eles não eram sem-teto. Três homens planejavam enviar uma gangue de sequestradores de operárias para Shinshu, onde estava cheio de desempregadas.

Não teria problema algum se fosse um sonho de se fazer fortuna fácil. Porém, conhecendo os métodos deles, e como havia quase cem mil operárias desempregadas, era bem possível que acontecesse.

Sendo assim: "Polícia de Shinshu! Faça o favor de prender esses homens ao invés de ficar em alerta contra ativistas sociais."

Mas nem preciso refletir muito para chegar à conclusão de que a preocupação não vai além do meu doce desejo. Esses artifícios em nada adiantariam para socorrê-las. Ficarei calado e continuarei contando a história de garotas mais próximas, que vivem nos fundos do parque.

— A menina só sabe dizer que dói. Nem entende o significado do que está fazendo — disse-me Hiko, o Canhoto, rindo, mas com seriedade. — Compra um *yukata* para mim?

Talvez eu tenha feito uma expressão de desagrado ante o inesperado do seu pedido.

— É um tal de "anoitecer do país tropical", da lista de *yukata* da revista *Clube das Senhoras*. Ela me disse que prefere o de gaze de seda de cinco linhas.

— Vai dar para alguém especial?

— O quê?! Está querendo apanhar? Assim o senhor me subestima. Não sei como é que Yumiko lida com o senhor, mas ainda não estou caduco a ponto de extorquir grana para dar um *yukata* a uma mulher!

— Mas esse *yukata* é de mulher.

— Que cabeça-dura o senhor é. Vou dar para uma criança de catorze anos. Eu disse a ela por brincadeira que lhe daria um *yukata*, e a menina levou a sério e aceitou; acreditou em mim como se fosse um deus, por isso não quero frustrá-la. É claro que ela é mercadoria. Mesmo que tenha entrado no mercado há uma semana, não deixa de ser uma mercadoria. Mas não estou querendo agradá-la dando-lhe de presente um *yukata*, não sou mesquinho. Vou jogar o *yukata* pela porta do vestíbulo — se bem que não é uma casa chique com vestíbulo — e ir embora, é o que penso em fazer.

— Como era mesmo? "Anoitecer do país tropical", em gaze de seda de cinco fios?

— Obrigado. Não quer dizer que eu não tenha três ienes e 45 *sen*. Mas o meu dinheiro não é limpo. O seu é muito melhor. Dê-me sem mais complicações. Vou lhe apresentar a menina. Escreva alguma coisinha sobre ela e vai poder comprar dez ou vinte *yukata* numa só noite.

Explicando melhor, um *genjiya*[67] o introduziu em sua casa sem saber que se tratava de Hiko, o Canhoto, que veio de Shinjuku a fim de restaurar seu grupo, o conhecido Shiraya.

Era ainda junho quando, no caminho para Asakusa, me deparei com um caminhão abarrotado de crisântemos amarelos, brancos e cor-de-rosa.

E Hiko chegou a Asakusa no dia do Festival Sanja.

Houve rumores de que alguns elementos perigosos retornaram para Asakusa, aproveitando a movimentação do Festival Sanja, também conhecido por "famoso festival sangrento de Asakusa".

47

O *amado*[68], que se encontrava fechado, estava rasgado e reforçado com um pano pendurado rente, o qual talvez

---

67. Proprietário de casa de tolerância clandestina.
68. Portas corrediças externas de folhas de madeira, que ocupam todo um lado das edificações em estilo japonês. Geralmente são fechadas somente à noite.

fosse um *furoshiki*[69] grande ou um lençol; o vidro da porta de correr que divide o quarto de seis tatames com o cômodo contíguo de três tatames estava vedado com papel amarelo. A única mobília desse quarto maior era uma pequena e velha penteadeira — e por que o espelho de uma casa desse tipo estaria quase sempre quebrado? Além dela, havia quatro ou cinco *yukata* de mulher, feitos de tecido de toalha, jogados sobre a armação do porta-quimonos.

Hiko estava deitado de olhos fechados, fazendo o braço de travesseiro. Que sossego. Tinha vontade de rir do dono do *genjiya*, que, impaciente, subia e descia a escada. A casa dos estranhos em que entrara por acaso dava-lhe sossego como se estivesse num esconderijo.

Passava das dez e meia. A garota que fora ao cinema custava a chegar.

— Ela deve vir a pé. Andando devagar com passos de menina, é um pouco longe.

— Deve ter ido se divertir em algum lugar — disse Hiko.

— Ainda é uma criança, patrão. Disseram-me que foi sozinha, ela não vai saber para onde ir.

— Bem, fique tranquilo. Não pretendo acusá-lo de trapaceiro mesmo que não haja uma mulher disponível.

— Sim, senhor. Eu moro logo atrás. A menina não é do tipo que anda nas ruas à noite. Disseram-me que só deram vinte *sen* para ela.

— Então sua casa é perto da cafeteria Fujiya?

— O patrão é destas imediações? — levantou para Hiko um olhar penetrante.

---

69. Pano quadrado de seda ou de algodão usado para embrulhar e carregar objetos.

— Não tanto, mas a garota-propaganda da casa é velha conhecida.

— Ah, sim.

— É verdade que Omitsu ficou abatida desde que ganhou criança?

— Não sei...

— Há pouco você deu uma volta muito grande. Passamos em frente ao Rokuji de Suiten, não foi?

— Onde?

— Não sabe? O chefão do grupo de batedores de carteiras, que rivaliza com a família de costureiros. Ele começou com um empreendimento bem chique, uma loja de rádios, e parece que tem uma filha que é uma gracinha. O pai estava na frente da loja, junto com a filha de cabelo meio crespo e penteado em *momoware*[70]. O chefão é conhecido por Rokuji de Suiten, mas deve ficar quieto por um tempo, já que saiu há pouco da prisão. Eu o conheço só de vista. Escutei tudo do rapaz que esteve junto com o chefão na prisão. Não passa de um desordeiro do parque, mas quatro ou cinco dias atrás encontrou Rokuji no trem e, quando voltou para casa, reparou que tinha quatro moedas de cinquenta *sen* no bolso das calças. Estava louco de felicidade, dizendo que o chefe está terrível como sempre.

— Ela já deve chegar — resmungando, o *genjiya* se retirou como se fugisse dali.

Uma velhinha apareceu subindo a escada. Colocou uma caixa de fósforos na frente de Hiko. Na ponta do nariz, no seu rosto comprido cor de papel pardo, pousa-

---

70. Tradicional penteado em coque usado por moças solteiras.

va um par de óculos para vista cansada. Hiko continuou esticado nos tatames. Uns cinco minutos depois, a velha voltou. Dessa vez, trazia um cinzeiro ordinário de vidro verde e umas revistas.

— O senhor deve estar entediado. Ela talvez esteja comendo uns doces de feijão. Sinto que estas revistas infantis não vão lhe interessar.

Eram seis exemplares do *Clube das Meninas*, de janeiro a junho.

Ele folheava os retratos de senhoritas que ilustravam as páginas iniciais quando percebeu, no quarto contíguo de três tatames, a respiração de alguém que tinha acordado. Ele se levantou e se sentou, mas não havia como espiar.

Os barulhos lá embaixo anunciavam a volta da garota. O *genjiya* ressurgiu, visivelmente aliviado.

— Ei! Tem gente ao lado — disse Hiko.

— Não é nada, é a mulher que mora aqui, senhor. Não tem problema, ela vai descer.

— Parece que está deitada, vai fazê-la se levantar?

— Não tem problema algum. Eu mesmo falo com ela.

Aí, de acordo com a formalidade, a garota trouxe chá; no entanto, era um tipo tão inesperado para uma moça dessas que até Hiko ficou embasbacado. As canelas apareciam do *yukata* curto de talhe infantil de mangas retas, e ela usava uma faixa estreita e simples de tecido azul, e tranças até os ombros; parecia uma garotinha travessa que acabara de voltar da escola elementar.

A revista *Clube das Meninas*

48

Pelo jeito, a menina nunca fizera maquiagem no rosto. Quando entrou de novo, dessa vez sozinha, já não estava mais ruborizada.

— Gostou do filme? Qual você viu? — perguntou Hiko.

— A-han!, gostei. O filme se chama *O braço* — respondeu, como se conversasse com um amigo da escola elementar, e se aproximou.

— Foi no Teikine?

— Não, no Makino.

— Ah! O Teikine ainda não está exibindo *O braço*? Esperei mais de uma hora por você.

— Foi? Estive em Minowa.

— É mais longe do que Asakusa?

— Não, é perto.

Então, pegou do porta-quimonos um *yukata* grande e estampado de carruagem imperial estilizada.

— Vista isto — disse, e o jogou nos pés de Hiko. — Me espere um pouco, está bem?

— Tudo bem. Você lê *Clube das Meninas* todos os meses?

— A-han, eu compro já faz dois ou três anos.

— Mostra uns *yukata* bem bonitos.

— Acho lindos! — A menina sentou, seus joelhos quase batendo no cotovelo de Hiko, que continuava com o braço como travesseiro.

Eram amostras de estampas de *yukata* de *Clube das Senhoras*. A folha de propaganda estava dobrada entre as páginas da *Clube das Meninas* de junho e fora aberta em toda a extensão.

— Quer que eu compre um para você?

— Oh! Por favor!

O rosto se iluminou de súbito, surpreendendo Hiko. Sua expressão revelava que ela pensou realmente que podia ganhá-lo, sem mais nem menos. Não passou por sua cabeça que poderia ser uma brincadeira. Não pensou na possibilidade de uma mentira. Nem pensou num ardil. Não se deu conta de que eles eram uma mulher e seu cliente.

— Qual seria melhor? — olhava as amostras com toda a atenção, como uma criança encantada. Não disse nem obrigada nem com licença.

— Vamos olhar com calma mais tarde.

— Sim. Espere um pouco, está bem? Vou até a casa de *soba* — disse ela, feito uma garotinha que deixa seu amiguinho esperando, e desceu a escada fazendo barulho sem a menor reserva.

O acolchoado era de criança, deixando os pés de Hiko descobertos até os tornozelos.

A mulher do quarto contíguo se retirou sorrateiramente. Ouvia-se o barulho de sorver *soba* no andar de baixo.

— Você vai comer também, não é? — perguntou Hiko para a menina.

— A-han! Quando temos um cliente, encomendamos *soba* para todos da casa.

— É uma comemoração?

Como se estivesse sobre uma mesa de cirurgia, a menina fitava Hiko com um olhar de espanto.
— Quando saiu da escola elementar?
— Em março deste ano.
— É verdade que tem quinze anos?
— Não. Catorze.
Então, ela abriu uma folha branca impressa, sustentando-a acima dos olhos com ambas as mãos, e leu em voz alta e clara.
— "... caso tenha se contagiado, se não for tratado imediatamente, surgirão incômodos em várias partes do corpo; além da infelicidade própria, por fim causarão distúrbios na paz familiar, e a desgraça se estenderá até os descendentes..."
— Ei!
— Dá para guardar pelo tempo que quiser, não é?
— Ah, é?
— Está escrito aqui que a qualidade deste remédio não se altera.
— Você consegue ler caracteres bem difíceis. Você lia *Clube das Meninas* já na quarta série?
— Eu tenho ido à biblioteca infantil em Asakusa... mesmo agora, muitas vezes... — ela falava pausadamente, mas com uma expressão escancarada.
Logo, os dois se levantaram e foram olhar as amostras de tecido de *yukata*.
— Vai querer qual?
— Pois é... não sei. Vou perguntar para a mama.
Hiko também desceu com ela. Olhou rapidamente para uma sala e viu três mulheres: a velha de havia pouco; uma

trintona ossuda; e uma mulher nova, que estava só com uma camiseta vermelha em tricô e um saiote íntimo. Essa tinha belas curvas.

49

Isso não tem nada a ver com a história, mas tenho uma prima que mora em Kuramae, em Asakusa. Tem catorze anos e está na primeira série do colégio feminino. Contou-me que duas colegas da escola elementar ingressaram na Gangue Púrpura. Uma delas é filha de um renomado comediante. A Gangue Púrpura não é uma paródia da Gangue Escarlate, mas uma história séria. A prima de catorze anos não sabe que estou escrevendo um romance intitulado *A Gangue Escarlate de Asakusa* e desconhece as atividades da Gangue Púrpura de Asakusa. Só sabe que essas duas meninas "trocavam cartas com os meninos" desde o tempo da escola elementar.

Um dia desses, ela veio sozinha visitar-me em casa. Levei-a a Asakusa, onde eu tinha um compromisso, pois não podia deixar a menina, ainda criança, ficar cuidando sozinha da casa. Tiramos algumas fotografias no camarim do Teatro Elétrico com sete ou oito dançarinas de jazz.

Depois disso, sempre que se encontrava comigo ela me perguntava, preocupada:

— Tio, aquelas fotos não vão aparecer em revistas, vão?

Temia que professores ficassem sabendo que ela fora a Asakusa. No seu colégio era um destino proibido, exceto para visitar o Kannon a fim de orar.

Eu próprio desejava que ela fosse uma senhorita que não conhecesse o parque Asakusa. De qualquer modo, é a única menina de catorze anos que conheço. Sendo assim, concordo com o que Hiko dissera.

— Não se trata de ela ser ou não ser bonita, meu senhor; ela não passa de um bichinho, como uma lagarta.

Enquanto esperava a menina, ele examinou uma porção de retratos das "senhoritas que não conhecem Asakusa" nas páginas ilustradas de seis exemplares da revista *Clube das Meninas*.

— Aquelas eram mesmo belas. Tinham ares esnobes, fazendo-se de coquete e em poses sensuais. Mas a menina não era daquele tipo. — Parou um instante e continuou. — Geralmente, as meninas que crescem na região de Asakusa que vai até Yoshiwara costumam ser precoces, mas a pequena nem chegava a ser assim.

Nunca um homem lhe dissera que compraria alguma coisa para ela. Não sabia como devia sentir-se com essa situação. Não que levasse a sério a brincadeira, mas é que não sabia distinguir quando era uma pilhéria.

— Vou perguntar à mama.

Já esquecida do que acabara de fazer, foi descendo a escada com um ar de deleite, surpreendendo Hiko com seu jeito singelo.

Os adultos que estavam no andar de baixo não estragariam a alegria da menina?

Entretanto, ela subiu correndo com a revista na mão, da qual as páginas de propaganda pendiam desdobradas.

— Disseram que o "Anoitecer do país tropical" cairia bem em mim — disse, sem tomar fôlego.

— Deixe-me ver. É uma estampa de *manjushage*[71]. Não acha que é refinado demais?
— Foi a mana que escolheu para mim.
— Sua mana, aquela de camiseta vermelha?
— É, sim. A esposa do meu irmão.
— E o mano?
— Está trabalhando em Hokkaido. E tinha mais uma, não é? Ela é minha mana de verdade.
— Tem *maoka* e gaze de seda. Qual você prefere?
— Como é *maoka*?
— Bem. Acho que um tecido fino de toalha.
— Será que gaze de seda é melhor? — Pela primeira vez a expressão da menina anuviou indecisa. Parecia que havia despertado nela, pela primeira vez, a ideia de cálculo.
— Mas me explique direito onde fica esta casa, para eu poder voltar.
— Sim. Faço um mapa. — Ela apanhou aquele papel que lera havia pouco. — Pode ser nisto?
Lambendo a ponta do lápis, foi rabiscando.
— Aqui é a parada do Ryusenji, este lado é Asakusa, o outro é Minowa. Entende?
Então, anotou o número da casa e o nome da mãe que estava na plaqueta da porta.
Após se despedir junto com a mãe, a menina esticou o pescoço através da abertura de *shoji* do cômodo de baixo e disse:
— Quando vem me ver? Amanhã? Depois?
Era uma atitude de mulher adulta.

---

71. Planta da família das amarilidáceas.

Shokyokusai Tenkatsu

50

No dia seguinte a esses acontecimentos, Hiko extorquiu de mim o "Anoitecer do país tropical", uma criação da grande poetisa Akiko Yosano. Se não me falha a memória, foi o terceiro dia do início da estação das chuvas. Fui informado de que as gazes de seda do *yukata* da *Clube das Senhoras* ainda não haviam chegado à loja de tecidos de Asakusa.

— Que aporrinhação! Então, vou levar *maoka*, mas um rolo deste custa dois ienes e quarenta *sen*, e o outro, três ienes e 45. Não gosto que pensem que economizei um iene. Faça-me o favor de me dar mais um rolo.

— Que tal "Gangue Escarlate de Asakusa" dos *yukata* do *Bungei Shunju*[72]?

— Quanto é?

— Dois ienes e trinta *sen*.

— Qualquer coisa de um iene será suficiente.

— Vai levar ainda esta noite?

— Quem pensa que sou?! Pensa que com um ou dois rolos de *yukata*... Irei amanhã de manhã e atirarei lá dentro como um entregador de cartas. Não voltarei lá nunca mais.

Na manhã seguinte, fazia um calor de verão.

A casa da menina estava com as portas da frente e dos

---

72. Literalmente, *Quatro Estações de Arte Literária*. Renomada revista mensal criada em 1923 pelo escritor Kan Kikuchi (1888-1948), amigo de Kawabata. Muitas obras de Kawabata apareceram originalmente nessa revista.

fundos escancaradas; na verdade, não havia diferença entre a porta da frente e a dos fundos. Não tinha vestíbulo. Logo ao lado da porta de entrada era a cozinha, de onde apareceu uma velha enxugando as mãos. O piso térreo também tinha dois cômodos de três e seis tatames. No maior, que ficava no fundo, a menina costurava sozinha um *yukata*; sentada sobre as próprias pernas, a luz do lado sul iluminava seu perfil. Era uma cena matinal de lar em paz.

— Chame-me aquela menina.

A menina se levantou e se aproximou com o rosto sério.

— Aqui está. — Empurrou o embrulho em sua direção.

Nunca Hiko tinha visto um rosto tão iluminado de felicidade, como se a face inteira da menina tivesse aberto em flor.

— Não tinha ainda gaze de seda, por isso comprei mais um rolo de tecido simples.

— Ah, sim — disse e correu para a mãe; em seguida, depositou o embrulho sobre o velho roupeiro e foi se sentar na frente da sua costura.

— Muito agradecida, senhor — sua mãe se adiantou à menina. — Entre para descansar um pouco e enxugue o suor.

— Não. Dê-me um copo de água.

— Filha, pare com essa costura — disse a velha, estendendo o copo de água.

— Mas só falta pregar metade da manga, mamãe.

— Fique para se refrescar um pouco, senhor.

— Não, obrigado. Até logo.

A menina parou de mover a agulha, olhou fixamente para Hiko e disse em voz alta:

— Já vai? Volte em dois ou três dias.

— Podia se demorar mais, senhor — insistiu a velha.
— Não.
— Entendo... Aqui, filha!

Quando a mãe a chamou, a menina se levantou e se aproximou. Os olhos estavam cheios de lágrimas. Sem querer, Hiko deixou escapar:

— Quer que eu leve você ao cinema?
— Verdade? Espere um pouco. Vou me trocar! — exclamou, começando a desmanchar a faixa do *yukata* que vestia, e correu para dentro.

— Que fácil! Seduzir uma garotinha. — Rindo sozinho, gritou para suas costas: — Mas não só você... Convide mais alguém.

— Ah, é? Pode ser a mana? — e chamou do pé da escada para o alto. — Ma-a-a-na-a!

51

1. Músicas famosas seletas — Conjunto instrumental
2. História infantil — "O espírito do pincel de um pintor"
3. Musical cômico
4. Estreia — Grande mágica
5. *Ocean Dance*
6. Esquetes — a. "Companhia de viagem"; b. "A cabine com leito do trem"
7. *Cowboy Dance*
8. Esquetes — c. "Mentira"; d. "A garota da vara de pescar"
9. Trágico episódio da Guerra das Rosas (Inglaterra) em versão mágica: "O canhão"

10. Novas danças japonesas — "Cinco festas de estações do ano", em cinco cenas: a. "Ano-Novo"; b. "Festa das bonecas"; c. "Festa dos meninos"; d. "Tanabata"; e. "Festa do crisântemo"
11. Grande desafio acrobático no ar
12. Nova mágica humorística — "O paraíso do Egito"

É o programa da companhia Shokyokusai Tenkatsu.

Está se apresentando no Teatro Showa, e a estreia foi no dia 7 de junho. Seguiu-se a companhia teatral Novo Tsukiji, que nos fins de maio apresentou *A história secreta de Tsukuba* e *O que fez com que ela decidisse fazer?*, como se viesse com a pergunta: "O que fez com que nós decidíssemos avançar para Asakusa?"

Caros leitores:

As bandeirolas com

it

IT

it

e mais duas grafias diferentes em japonês da mesma palavra flutuavam na brisa de julho em frente ao Teatro Kannon.

Depois que o Teatro Nihon criou com sucesso o grupo de dança Ero-Ero, até o Teatro Shochiku exibe cartaz de *dance ero* em tinta negra. Em todo lugar se veem cartazes ostentando *ero*. Todavia, essas meias-palavras estrangeiras ainda são passáveis. Um maníaco sexual escreveu em um caderno os termos que aparecem em cartazes de "falsos shows". Se desejarem, caros leitores, tentem os senhores mesmos andar, ao anoitecer, nas ruas por trás das casas de espetáculos de Ikenohata. Dizem que nessas ruas, mesmo de dia, pode acontecer de um simples passante ser abordado por um mal-encarado e ter seu dinheiro extorquido, mas ali existem entradas para camarins das "rainhas do erotismo". Elas aparecem para se refrescar. Ali, os senhores descobrirão que as minhas palavras de elogio à beleza das irmãs Danilewski não passavam de engano devido às luzes da noite. As pernas delas são mais escuras do que as das japonesas.

Entretanto, em comparação a esses "falsos shows", o programa da companhia Shokyokusai Tenkatsu é autêntico e excelente. Os acessórios de truques cênicos têm ornamentação suntuosa. As expressões que as jovens dançarinas mostram para os espectadores são belas e hábeis. Porém, Tenkatsu, que já teria idade para ser avó, interpreta uma colegial. Ela aparece em todos os atos e se acha a tal. A acrobacia aérea de Henry Matsuoka é magnífica. E que coisa rara! Morino Sawa parece que ganhou o contrato e dançou. Todavia, o que surpreendeu Hiko, o Canhoto, foi o fato de atirarem no público diversas coisas do palco. Morino Sawa, no papel do pintor na peça *O espírito do pincel de um pintor*, jogou feito arremessador de beisebol trinta ou quarenta saquinhos de papel com pães recheados de doce cremoso de feijão em várias direções, dos camarotes à plateia de chão batido.

Antes disso, ele anunciou: "Os pães da Fujiya da avenida Asakusa são uma delícia." Era um comercial da fábrica de pão.

Do palco de mágica, um assistente atirava cem cartões com o retrato de Tenkatsu. Os cartões voavam como se fossem borboletas pretas e alcançavam até o fundo da plateia. Ao lado da foto, sempre havia um anúncio de cosméticos.

Jogaram caramelos Morinaga e cigarros Peace.

Henry Matsuoka jogou maçãs.

A cada vez, o público grita e se agita. É uma cena doméstica. Há muitas crianças.

Assim, todas as vezes a menina de Hiko sobe na cadeira e levanta os braços, abanando as mãos. Por isso, sempre jogam em sua direção. O colo de sua irmã ficou cheio desses brindes. No caminho para casa, ela continuou alegre e agitada.

No entanto, depois de se despedir delas, Hiko me procurou.

— Fui ver mágica pela primeira vez na vida, é um sonho chique de bobalhões. Vá lá ver, quem sabe amanhã. Mas, por falar nisso, a cunhada ficou choramingando... quer dizer, ela não suporta ver a cunhadinha falando depois que doeu ou não doeu. Mas isso não agrada a velha, já que ela é nora, não filha. O marido dela, imagino, deve ter sido mandado para um campo de trabalhos forçados. Assim, ficou rogando para que eu desse um jeito nela. Quando voltasse para casa e contasse que aconteceu assim, assim, já que havia sido um fato consumado, a velha a perdoaria. Detesto esse tipo de sentimento humanitário. Nunca fui tão mal julgado! — de repente Hiko mudou de tom. — Por falar nisso, que tal o senhor? Por um ato de caridade. É uma branquinha fofa, não é de se desprezar!

Okin da Encosta

52

Mais de setenta antecedentes criminais. Essa foi a trajetória da filha de um *hatamoto*[73], que nasceu no atual bairro de Yokodera, distrito de Ushigome, e morreu na sarjeta nos fundos do santuário Awashima do parque Asakusa.

Muitos leitores vão pensar numa bêbada ao ouvir o nome Okin da Encosta, uma famosa mulher de Asakusa. A velha ficava caída de braços e pernas abertas no meio de uma multidão de curiosos, e abria a bocarra para vociferar com ódio.

Por exemplo, se alguém que tem sangue de Asakusa fosse levado para assistir aos shows em voga no momento, diria entre risos:

— Talvez tivesse sido nos tempos da Guerra Russo-Japonesa? Tinha um espetáculo intitulado *As mergulhadoras no mar*. Comparada com ele, a dança de moças com roupa de banho é bem decente.

Era um grande barril com água. Tinham plantado algas marinhas, e as conchas brilhavam no seu leito bem profundo. A mergulhadora com óculos de mergulho e vestida apenas com uma espécie de anágua vermelha, com longos cabelos em desalinho dentro d'água, apanhava as conchas do fundo como se fosse pescadora de

---

73. Vassalo subordinado diretamente ao xogunato, na era feudal.

abalones em *ukiyo-e* desenhados por Utamaro. Era uma dança dentro d'água. Chegou a nascer uma estrela chamada Sereia Omatsu.

No entanto, nem era necessário escutar essas recordações dos velhos tempos. Okin da Encosta morreu, aos 62 anos, bem depois que encerrou em Asakusa o espetáculo da garota que dançava sobre uma bola, vestida de malha colante cor da pele.

Até o portal Kaminari, a principal entrada de Asakusa, que desde o décimo sexto ano da era Meiji [1885] está em reconstrução e nunca é concluído, foi destruído por uma mulher: a jovem Ogin, filha do atacadista de papéis velhos, tocara fogo nele. As mulheres de Asakusa são assim; se começássemos a falar das velhas histórias, não terminaríamos.

Há duzentos anos, surgiram casas de chá para descanso dos viajantes, atendidas por mulheres. Depois, vieram as mulheres dos bares de saquê. E mulheres-apanhadoras nos quiosques de arco e flecha. Isso já na era Meiji. Donas de bares. Agora, mulheres de salas de leitura de jornais. Mulheres de salas de *go*. Mulheres de casas de *mugitoro*[74]. Mulheres de casas de tiro ao alvo.

Mulheres dos bares no térreo do prédio dos doze andares. Já estamos na era Taisho. Eram as "gueixas da era Taisho". Veio o Grande Terremoto. Junto com a torre de doze andares, muitos tipos de mulheres desapareceram.

Por outro lado, foi preservado o Hanayashiki, um jardim da família do príncipe Rin'oji, presente dele ao mes-

---

74. Arroz com grãos de trigo cozidos, sobre o qual se coloca molho de batata cará ralada.

tre jardineiro Rokusaburo Morita, nos tempos de Kaei (1848-1854); hoje é a mais antiga e tradicional casa de espetáculos de Asakusa. Talvez, por isso, mesmo hoje continue apresentando números saudosos, como os de marionetes, acrobacias de passarinho *yamagara* e bonecos-
-vivos, que lembram vagamente a época de esplendor de bonecos vestidos de crisântemos do grande mestre-criador Kamehachi Yasumoto[75].

> "Hanayashiki — Programas refrescantes[76] — Aberto dia e noite — Teatro — *Yamagara* — Marionetes — Shows e danças."

Caros leitores, isso é o que informam as "notícias elétricas". Um elefante e um macaco desenhados também em luz elétrica passam caminhando sobre a porta de entrada, puxando essas letras. Aumenta cada vez mais a quantidade de casas decoradas com iluminação de neon, mas as notícias elétricas do Hanayashiki foram absoluta novidade em Asakusa no verão de 1930.

O tradicional Hanayashiki está desse jeito. No lugar de todas aquelas mulheres que desapareceram, muitas outras de tipo semelhante à dessas "notícias elétricas" devem ter nascido em Asakusa. Com o tempo, tratarei de apresentá-
-las aos senhores.

---

75. Kamehachi Yasumoto viveu entre 1826-1900. Entre suas criações, estão os bonecos de tamanho natural que reproduziam o ser humano de forma tão real que eram chamados de "bonecos-vivos".

76. Programas de entretenimento para se desfrutar nas frescas noites de verão, tais como fogos de artifício e passeio de barco.

Embora se diga que, se eu for confundido com uma cópia medíocre do antigo "escritor malandro" Nanbo Ota, também conhecido por Shokusanjin, ficarei desapontado.

"Inari do Ginkgo perguntou a Inari do Kasamori: 'Ouvi sobre sua Osen. O que a faz ser diferente da nossa Ofuji?'" Isso está no *Comentário sobre a comparação dos méritos de Osen e Ofuji*, de Shokusanjin.

Hoje em dia, os jovens que passam o tempo em cafés e *milk hall* de Asakusa chamam de "escritores malandros" aqueles que frequentam o Aquário e contribuem para a fama das dançarinas de shows.

De qualquer modo, Ofuji, que rivalizava em sensualidade com Osen Kasamori, é aquela mesma Ofuji que se tornou um sucesso quando o ator Roko Segawa II atuou no papel de Ofuji no Teatro Ichimura. O marrom-escuro, chamado de "marrom Roko", virara moda. Era uma garota do bar de saquê Honyanagiya Niheiji. A casa se situava atrás do pavilhão Kannon, sob os pés gêmeos de ginkgo. A moça era cantada na canção publicitária. Seu retrato colorido em xilogravura também vendia bem.

O retrato desenhado é a fotografia dos artistas de hoje. Aquela Ogin, filha do atacadista de papéis velhos de Tawara, era uma bela garota típica da cidade baixa e fora pintada em um retrato. O segundo filho de um *hatamoto* de mil *koku*, de nome Ryotaro Kishigami, de Mikasa, bairro Honjo, ficou doente quando viu o retrato da mocinha e mais tarde roubou Ogin do seu noivo Shinkichi. O fogo ateado por Shinkichi na noite de núpcias queimou também o portal Kaminari.

Isso aconteceu no primeiro ano de Keio, em 1865, um pouco antes da era Meiji. Todavia, para a filha e os pais de um atacadista de papéis velhos, o vassalo ligado diretamente ao xogunato tinha ainda um charme ofuscante. Okin da Encosta era filha de um desses vassalos.

53

Aos dezessete anos, Okin havia sido vendida para a cidade de Kawagoe como servidora de banquetes regados a saquê. Isso porque, com a Restauração Meiji, os *hatamoto* empobreceram. Sua vida errante começou a partir de Kawagoe, como se a moça fosse uma planta aquática flutuante. No trigésimo ano da era Meiji [1897], com a idade de 31 anos, ela voltou a Tóquio para trabalhar num bar situado na encosta de Yoshiwara. Com o alcoolismo e os antecedentes criminais, o nome Okin da Encosta ganhou fama.

Todavia, ao chegar perto dos cinquenta anos, ela só podia viver de albergue em albergue, arrastando os homens que conseguia pegar na rua. Já quase aos sessenta, o jeito nesse ofício era ganhar trocados agindo em locais escuros. Ela se deitava no chão de terra. Do *"shiki"* (gíria de Asakusa: "leito coberto") passou para o *"sotoshiki"* (gíria de Asakusa: "leito externo"), já que seus parceiros eram em sua maioria sem-teto. Morrer na sarjeta aos 62 anos foi ao menos uma glória para Okin. Trabalhara duro como mulher até a morte. Escapara cair na mendicância. Pudera se embebedar e vociferar à vontade.

A camada mais baixa dos sem-teto, os errantes — não quero dizer com isso que vivem "errando", mas sim que são figuras humanas que sofreram desgaste pelas intempéries; passam de manhã à noite sentados no mesmo banco e continuam sentados também no dia seguinte —, portanto, têm toda razão de sofrerem pela ação do tempo. Meus leitores se recordam do que Aki-ko dissera uma vez?

— Entendeu? Aquela é uma das fulanas de cabelo tosado. A maioria é desse jeito. É a ralé mais baixa de Asakusa. Mesmo assim, é sorte da mulher que possa correr. Um sem-teto nunca corre.

Além disso, esses errantes desgastados não abrem a boca para falar. Vivem sem palavras no centro do bairro movimentado de diversão.

— Os estrangeiros dizem *ladybird*, não dizem?

Quem perguntou foi Yumiko, certa manhã no parque.

— *Ladybird*?

— É joaninha. Chamada de "mulher-pássaro"! Em chinês é "garota escarlate". Eu acho que uma mulher que faz sua maquiagem matinal na luz do sol não tem mais chance de salvação.

Sentadas na corrente que cerca o canteiro, duas mulheres jovens faziam sua maquiagem matinal com um estojo de pó compacto na mão. A parte de trás das faixas de seus quimonos estava amarrotada, suja de terra da noite.

Com uma mangueira de borracha acoplada à torneira do lavatório do sanitário público, um homem que tinha restaurante por perto apanhava água para sua cozinha.

Dois ou três ratos roíam a sola do velho calçado de um trabalhador desempregado, que estava dormindo num banco. Esses ratos eram o que mais me surpreendeu na manhã de Asakusa. Foi atrás da Casa dos Insetos.

Terminada a maquiagem, as moças foram embora. Na noite anterior, elas ficaram no "*sotoshiki*".

Casa de chá e descanso à beira da estrada, bar de saquê, casa de tiro ao alvo, sala para leitura de jornais. Meus leitores devem ter ouvido a existência de um fluxo por baixo deste: meretrizes, alcoviteiras, rameiras disfarçadas de monjas-peregrinas que coletavam donativos, as que paravam na esquina das ruas, e as *gokaiya* dos últimos tempos. Os nomes de muitas dessas *gokaiya* apareciam nos impressos, como Okatsu Sem-Teto, Otama do Relâmpago, Osachi Abobada, Ohisa Estrábica; no entanto, Okin da Encosta, que não era filha de mendigo como a Oyoshi de Cabelo Tosado, não nascera burra como Okiyo, a Estúpida; é um exemplar típico de mulher que desceu até o fundo da escada da existência feminina.

Sendo assim, que fim poderia esperar a garota de Ryusenji, que começara a ganhar a vida dois anos mais cedo do que Okin?

Por outro lado, os caros leitores sabem que Ochiyo, a irmã de Yumiko, é uma "mulher que faz maquiagem à luz do sol matinal".

O pastor alemão

54

O asfalto brilhava tingido de cor-de-rosa, parecendo chapas justapostas de chumbo. As manchas vermelhas pairavam com incrível nitidez, espalhadas nas ruas ainda não despertadas por completo. Havia o frescor do ruído dos bondes — eram cinco da manhã.

Iluminada pelos raios do sol matinal cor-de-rosa que tingiam a ponte Kototoi, a urina da noite passada formava grandes manchas. Entretanto, o parque Sumida era como uma planta baixa desenhada no solo com poucos ornamentos, em forma de um H enxuto. Isto é, o dique Mukojima e a margem de Asakusa são duas linhas paralelas ligadas no meio pela ponte Kototoi.

As águas do rio Sumida se tornam amarelas ao luar, e quando o sol não aparece ficam com uma cor barrenta. Mas como não há uma estrutura de ferro sobre a ponte, exceto a balaustrada, que lembra um pente ralo, e os postes de iluminação, que parecem lápis, ela tem o charme de uma chapa de ferro forte e simples, em linha reta. É raro o dia em que é possível avistar as montanhas de Tsukuba, e mais ainda o monte Fuji; no entanto, quando se para no meio da ponte, sente-se uma correnteza que traz de algures a sensação de amplitude da planície de Kanto.

A ponte Kototoi tem uma extensão de 158,5 metros e forma um leve arco. Se a curvatura da ponte Kiyosu se destaca em beleza entre as seis pontes novas do rio Sumida, a Kototoi é a mais bela em linha reta. A Kiyosu é feminina. A Kototoi é varonil.

Por isso, ao encostar sua bochecha no corrimão de ferro, Onatsu disse:

— Ai, que frio.

Ela tem dezesseis anos e está sempre com uma maquiagem pesada, mas tem o hábito de lamber os lábios. Assim, muitas vezes seu batom de vermelho intenso fica borrado além das linhas labiais. Um homem vê nisso uma presa fácil e acaba sendo apanhado.

É claro que esta manhã seu batom estava borrado desde a noite passada.

— Uma névoa baixinha está colada na ponte. Olhando ao longe, dá para perceber que ainda está garoando.

— Ah, é?

— Que sono.

— A partir de hoje, você e Ochiyo podiam me fazer o favor de dormir presas, amarrando um cordão entre as duas.

— A névoa colou no meu rosto.

O pó de arroz da face direita ficou manchado como se tivesse sido enxugado.

— Como sabe se é névoa ou orvalho?

Um caminhão de lixo coberto vai de Honjo para Asakusa; um táxi coletivo com uma mulher de *haori* lilás-azulado vai de Honjo para Asakusa; uma carroça de *lamen* retorna de Asakusa para Honjo; os jovens do time de beisebol vão de Honjo para Asakusa; os corredores de maratona vão de Asakusa para Honjo; a coleta de lixo passa novamente de Honjo para Asakusa; uma mulher com uma roupa ocidental de organdi branco-transparente, que a deixa quase nua, sem meias e de tamancos, vai de Asakusa para Honjo em passos rápidos, como se ela se sentisse sem jeito por ter amanhecido, mas não atino por que está vestida com um organdi que a deixa quase nua. Além desses, só passaram três ou quatro trabalhadores, e não há um táxi livre.

— Na noite do fim do ano teve uma cerração muito pesada, não foi? Graças a isso, Yumiko escapou com vida — disse Onatsu.

— Oooh! — o pequeno do barco, de chinelo de madeira nas mãos, já estava sobre o corrimão da ponte.

Assim como se encontrava, correu em passos miúdos, balançando-se como se estivesse na corda bamba. O corrimão tinha a altura do peito de um homem. A largura era de apenas um palmo.

— Diacho! Não me faça de boba! — Onatsu começou a correr atrás dele.

Conta-se que um garoto roubara o para-raios de platina do alto da chaminé gigante do incinerador do aterro de Susaki.

Há também a história de um menino que vivia sobre o pagode de cinco lances de Asakusa.

Quem roubara o cabo da espada de Danjuro também fora um garoto.

Bravuras à parte, foi construído, por exemplo, um sanitário público na margem leste do lago Hyotan, dentro da encosta da colina artificial defronte ao Hanayashiki. O terraço, que era um jardim suspenso de concreto, serve de local para as pessoas se refrescarem ou de leito para quem quiser dormir; seu parapeito tem quase a mesma largura da ponte Kototoi. Caros leitores, já viram um homem dormindo, de barriga para o céu, sobre esse parapeito? Suas costas sobressaem em ambos os lados, e as pernas ficam dependuradas em cada lado.

Eu já vi duas ou três crianças andando sobre o parapeito da ponte Kototoi, sempre pela manhã.

— Fazendo isto, consegui despertar — disse o pequeno, e desceu os degraus que conduzem ao parque Sumida. De repente, correu para o lado da ponte e começou a berrar com toda a força do seu ventre:

— Burro! Burro! Burro!

Eram os ecos do aço.

55

ESTE PARQUE AINDA ESTÁ EM OBRAS. PEDIMOS ENCARECIDAMENTE QUE NÃO PISEM NO GRAMADO, POIS ESTÁ EM IMPLANTAÇÃO. HORÁRIO: OITO DA MANHÃ ÀS SETE DA NOITE.

Onatsu esperava em frente à placa de aviso da entrada, ao lado de onde o clã Mito havia morado.

Debaixo da ponte, os mendigos levantaram a cabeça dos bancos. Foram acordados com os ecos do aço.

Devido ao teto de ferro e às paredes de concreto, e também aos ventos do rio que o atravessam, o local serve de excelente cama no verão. Por falar nisso, os caros leitores viram no jornal que, em julho deste ano, os mendigos fizeram uma estranha festa?

Batendo baldes velhos, sacudindo os trapos feito bandeiras, a multidão de mendigos bêbados cantou e dançou. Era uma maneira meio desesperada de orar, na tentativa de endireitar o mundo em depressão, pois seus ganhos estavam muito reduzidos.

— Independentemente do que dizem a meu respeito, sei tudo que acontece aqui — diz o conhecedor profundo de Asakusa, Hachiro Sato. — Até sobre os cachorros que ficam rondando nas colinas nos fundos de Asakusa: qual pintado e qual branco estão de namoro, ou qual vermelho ganhou o fora de qual preto na margem do lago Hyotan.

Ele participou de uma reunião de debates intitulada "Assuntos bizarros de Tóquio". Seu primeiro pronunciamento foi:

— Mesmo os rapazes transviados já não conseguem se sustentar.

Seja como for, o poder da força braçal está perdendo tempo; a última moda é designar uma bela garota para ser líder de gangue.

— Burro! Burro! — gritou o pequeno do barco, fingindo brincar com o eco do aço e ter se assustado por causa dos mendigos que se levantaram, e fugiu disparado dali.

O terreno onde ficava a casa em que moraram os Mitos, do clã Tokugawa, era uma vasta extensão verde. De flores, só se viam alguns oleandros. No centro, havia uma fonte em estilo japonês guarnecida de árvores, mas o gramado trazia o verde profundo de uma manhã ocidental.

— Veja só! É mesmo névoa — sorriu Onatsu.

Sobre o verde, algo branco escoava. O frescor parecia lavar os pés. O parque é aberto às oito horas, mas habitantes das vizinhanças já caminhavam, levando crianças e cachorros.

Uma garota com um pastor alemão estava sentada no gramado semicircular cercado de lariços. O desalinhado aspecto da moça, semelhante àqueles desenhos sobre o Japão feitos por estrangeiros, não combinava com o cenário limpo e bem ordenado.

O cão veio pulando e pôs as patas nos ombros de Onatsu.

— Tess, Tess, é você? Então eu não precisava ter vindo buscá-la se soubesse que você estava junto — disse, acariciando o entorno da boca do animal. O pelo estava gelado, a palma da mão de Onatsu ficou vermelha de sangue. — Oh! — lançou para a garota um olhar duro. — Chiyo-tchan, o que aconteceu com Tess?

— Hum, brigou — riu Ochiyo.

— Com outro cachorro?

— Parecia mais um mendigo.

— Uma pessoa?

— Que engraçado! Mendigo é gente?

— Isso não é engraçado, Chiyo-tchan. Mesmo que seja louca, uma mulher é uma mulher! Tenha mais cuidado — disse, puxando-a para se levantar. Analisou as roupas da outra com um olhar perscrutador. — O orvalho molhou seu *yukata*. Ontem à noite teve uma cerração densa. Você dormiu aqui?

— Não foi aqui.

— Onde foi?

Ochiyo foi andando sem responder.

— Então Tess mordeu esse que parecia um mendigo? — quis saber Onatsu.

— Deve ser Sankichi, o Vaidoso.

O pequeno do barco se intrometeu, parando de assobiar.

— Sankichi? Aquele que sempre toma banho no chafariz que fica atrás do Kannon? — indagou Onatsu.

— Você não sabia? Ele anda atrás de Chiyo-tchan com insistência. Do mesmo jeito que antigamente Kanko andava grudado em Ocho; daqui a um tempo, ele vai cantar "Ochiyo-Sankichi, Sankichi-Ochiyo" por todo o Asakusa.

A neblina branca foi desaparecendo do gramado. O verdor ressurgia do solo como chamas.

Ochiyo usava um *yukata* estampado com motivos de escama de peixe e uma faixa chique de Hakata branca e sem forro; ela era uma garota refinada do bairro popular, mas, sem saber como, notava-se que certa sujeira começava a se acumular no seu aspecto. Era o cheiro de terra dos sem-teto. Não tinha dia ou noite para ela. Bastava a vigilância se descuidar, a garota desaparecia no parque.

— Fiquei lá — apontou um banco sob a aleia de pinheiros quando iam chegando à margem do rio asfaltada.

— Lá, onde? Ah, ontem à noite? Dormiu sozinha?

— Vieram quatro. Tess mordeu três deles — contou Ochiyo, sem o menor constrangimento.

56

O rio Potomack, em Washington; o rio Tâmisa, em Londres; o rio Sena, em Paris; o rio Danúbio, em Budapeste; e o rio Isar, em Munique. O Departamento de Reconstrução e a Associação dos Jardins orgulhavam-se do parque

Sumida, que não perdia em volume de água e grandeza de paisagem em comparação aos parques marginais das grandes metrópoles do mundo, além de possuir alamedas com cerejeiras. O parque Sumida tem 56.872 *tsubo*[77], e uma extensão de 650 *ken* no lado de Mukojima.

Onatsu e outros estavam exatamente na ponta sul, perto da ponte de ferro da linha Tobu, olhando para o lado de cima do rio. A superfície da ponte Kototoi estava embaçada pela cor matinal, era uma chapa de asfalto sob uma luz úmida.

O rio, o dique com salgueiros, um passeio para pedestres, uma alameda de cerejeiras, um passeio para pedestres, uma alameda de cerejeiras, uma pista de carros, uma alameda de cerejeiras, um passeio para pedestres, uma alameda de cerejeiras — estou olhando a planta baixa. As alamedas de cerejeiras formam quatro linhas paralelas no gramado retangular. O dique com salgueiros também é coberto de gramado.

— Estava sentindo o cheiro da maresia e achei este troço — disse Onatsu.

— O que é isto? — o pequeno do barco não estava conseguindo ler a placa.

MINISTÉRIO DOS ASSUNTOS INTERIORES
ESTAÇÃO MUKOJIMA DE ANÁLISE DE SALINIDADE

A margem do lado de Asakusa — hoje seria domingo? — estava repleta de uniformes brancos desde a ponte

---

77. Unidade de medida de superfície equivalente a 3,306 metros quadrados.

Azuma até Hashiba, com cada grupo armando sua rede ou jogando beisebol amador.

O pequeno do barco começou a correr com o cachorro. Onatsu chamou o animal. O pequeno voltou a chamá-lo. Enquanto o cão ia e voltava entre eles, descrevendo grandes ondas no asfalto, Ochiyo, sentada no banco, iniciou um cochilo.

— Jornal, jornal, quer um matutino com o guia de empregos?

Por volta dessa hora, vendedores de jornais circulam por entre os bancos do parque Asakusa.

Um batalhão de policiais em uniforme branco investiga os que dormem a céu aberto.

Vi certa vez uma cena em que um garoto de recados, esfregando os olhos sonolentos, informava a identidade do homem que lhe fazia companhia.

— É um soldado.

O homem a seu lado custava a acordar, mesmo sacudido pelo policial. Quando abriu os olhos vagos, escutou:

— Venha!

Atrapalhado, o homem apanhou seu boné e seu casaco do exército entre os arbustos do fundo, dependurou sua sacola militar e seguiu junto com o garoto para a delegacia. Os que estavam ao redor, os quais costumavam dormir a céu aberto, nem se interessaram pelo acontecimento.

Enquanto as lojas de ambos os lados da Nakamise ainda estavam adormecidas, vendedores ambulantes abriam suas mercadorias, de forma a atrair os visitantes matinais do templo, na tentativa de conseguir algum dinheiro.

Mapas, travesseiros infláveis, camundongos, cadernos de caligrafia, perfumes, cachimbos, meias, vassouras, formas de máscaras de argila, broches com horóscopo chinês, golas removíveis de quimono, filhotes de tartaruga, dois artigos por quinze *sen*, roupas infantis, *kanpyo*[78] *fresco, pedras decorativas para bonsai, tiras de tamancos, fruto cítrico yuzu*, nenúfar com raízes, fitas, carrinho de aspergir água, suporte para arranjo de flores, leques, grampos decorados para cabelo, bonecas de borracha, mudas de fênix, lenços, peixes cozidos secos recém-preparados, saias, anéis, cobra *mamushi* carbonizada[79], cordões, cadernos com calculadora, livros velhos, insetos canoros, roupa de dormir para crianças não apanharem resfriado, espelhos, calendários com horóscopo, pincéis para caligrafia, flores de corte, chapéus, caixinhas de palóvnia, mudas de árvores, suspensórios, camisetas, tamancos, carteiras, erva *gennoshoko*[80]. Isto foi o que vi, numa manhã de julho, nas vendas dos ambulantes da Nakamise.

Na ponte Kototoi também já devem estar começando a funcionar as vendas: café gelado, um copo por dois *sen* e três copos por cinco *sen*; liga para meias, pera, lavagem de chapéus, jogo de *go* simplificado, jogo de *shogi* rápido, melancia em fatias, etc.

Todavia, só o cão estava ativo como devia ser nesta hora da manhã; Onatsu e o pequeno do barco estavam com sono.

Esse cão é aquele que Komada roubara da casa do tio, a pedido de Yumiko. Ela treinou esse filhote para que cuidasse de Ochiyo.

---

78. Espécie de cabaça comestível, comercializada em tiras secas.
79. Usada como remédio.
80. Planta medicinal para tratamento de diarreia.

Komada é o homem que observava de binóculo, do alto da torre do Metrô, o barco *Kurenaimaru*, e é namorado de Oharu. Para se explicar isso, torna-se necessário investigar a vida de Oharu.

Quando tinha quinze ou dezesseis anos, Oharu era empregada de uma hospedaria em Funagata, na província de Chiba. Seu grande sonho na vida era se tornar cabeleireira de gueixas de Tóquio. Um cliente que estava de veraneio prometeu intermediar isso para ela. Não foi mentira. O dinheiro que ela confiou ao homem para cobrir as despesas de viagem acabou sendo extorquido, mas ela foi colocada como aprendiz de cabeleireira em Asakusa. Essa casa ficava perto da loja Aritake, de aves e outros animais, numa rua lateral ao atual Teatro Showa.

Entretanto, como a garota era provinciana, ela nunca imaginou que, sem sair do lugar e sem saber quando e como, um homem a estivesse vendendo a outro.

Ruas com ruído de balas

57

"Uma tia gentil" há muitas por aí.

A cliente tinha vindo pela primeira vez. Era bem falante. Havia quatro ou cinco auxiliares, mas parece que simpatizou com Oharu e lhe dava atenção especial. A mulher perguntou a Oharu se ela era natural de Boshu[81]. Disse que notou pelo sotaque.

— Estive em Boshu uma vez, passei um verão em Funagata — disse a cliente.

— Ah, é?!

— Ora! Você é lá de perto, Haru-tchan? — espantou-se. — Não, eu não sou assim tão rica, mas os filhos da minha irmã foram nadar, e fui junto, digamos, para cuidar das crianças.

Encontraram-se duas ou três vezes na casa de banho público. Ela elogiava a pele alva de Oharu, enquanto lavava-lhe o pescoço escuro, esfregando-o com um saquinho de farelo. Na volta, convidava-a para tomar *shiruko* — doce de feijão *azuki* em calda. Deu-lhe às escondidas um ingresso de teatro. Oharu foi e de repente viu que a tia estava sentada a seu lado. Um jovem acompanhava a mulher, um universitário que alugava um cômodo no segundo piso da casa dela.

---

81. Denominação antiga da atual província de Chiba.

— Seria bom se eu pudesse ganhar mais ingressos, mas por mais que eu goste de você, não posso lhe dar sempre, senão as outras auxiliares irão ficar com ciúme. Por isso, Haru-tchan, da próxima vez que tiver folga, venha lá em casa e aí sairemos.

— Oh! Mas...

— Tudo bem. Quer, eu disse tudo bem, mas você não sabe onde é minha casa. Vou lhe ensinar o caminho hoje quando voltarmos. Não tem problema em dar uma chegada lá, não é?

A casa ficava em Komagata.

Por que a mulher se daria ao trabalho de se deslocar de Komagata até o banho público de Asakusa? Se Oharu tivesse se dado conta disso, não teria acontecido o que aconteceu.

A moça foi levada à sala de estar. Ela ouviu a tia explanar sobre o futuro brilhante do estudante. O rapaz estava constrangido, visivelmente incomodado. Mas Oharu, que fora empregada de uma hospedaria do interior, sonhava em se tornar cabeleireira. Não se sentia atraída por sonhos ambiciosos. Agradeceu e logo partiu. Porém, na folga seguinte ela convidou a tia para sair.

Assim, decorreu um mês. Certa noite, lá pelas nove horas, a tia veio pentear o cabelo, carregando um monte de embrulhos nos braços.

— Estou a caminho da casa de uma parenta em Ueno, mas pensei em fazer compras antes, já que ia ficar tarde; não esperava ficar com tanto volume.

— Se quiser, deixe aqui e busque depois — disse a dona do salão.

— Obrigada. Estou achando que poderia economizar o

táxi se mais tarde Haru-tchan pudesse dar um pulo aqui e levar os embrulhos para minha casa.

— Sim, como queira.

Na manhã seguinte, quando acordou no segundo andar da casa da tia, Oharu estava completamente nua. Levou um susto, tocando os quadris com as mãos, e confirmou sua nudez. Não havia homem. Levantou-se de um salto, acendeu a luz e viu sua figura branca e nua em pé no espelho da penteadeira. Retirou a coberta. O lençol que tinha na véspera havia sido removido. Abriu o armário embutido; estava vazio. Não encontrou nada que pudesse colocar no corpo, nem mesmo um cordão. Atarantada, voltou para o leito e se cobriu com a colcha. Sentia vergonha e temor até de tocar no próprio corpo; encolheu-se, dobrando os joelhos, e tremia sem parar. Nem percebeu que estava chorando.

Porém, não conseguia permanecer parada. Voltou a se levantar, mas não achou onde ficar. Sentou-se em frente ao espelho, olhou o corpo nu refletido e, pela primeira vez, recuperou a calma. Por alguma razão, seu corpo desnudo parecia algo fantástico. Tanto que parou de chorar. Depois de olhar com cautela a parte de baixo da escada, deu vários giros em frente ao espelho, observando a própria nudez. Voltou a olhar a parte de baixo da escada, retornou engatinhando e tornou a ver seu estranho aspecto refletido no espelho. Caiu de bruços para chorar, mas começou a gargalhar. Era o nascimento de uma nova mulher.

Desse modo, ela continuou enfiada nua no leito desse segundo piso durante cinco dias.

58

Aberto do nascer do sol até as 12 horas.
Recusamos a participação de cliente embriagado no jogo.
Não se deve atrair os passantes sem prévio consentimento da casa.
Não é permitido perturbar a segurança e a moral pública.
Com exceção do proprietário e dos funcionários, a entrada à área interna da sala de tiro é estritamente proibida.
Em atendimento à determinação das autoridades, não aceitamos bilhetes gratuitos, presentes ou semelhantes.

Eram as orientações do regulamento afixadas ao lado do balcão de espingardas numa cabana de tiro ao alvo. Em frente estavam pendurados, como decoração sagrada no santuário xintoísta, maços de cigarros Shikishima e Batto, feitos de papelão recortado. Abaixo desses, havia dois degraus, onde se viam cigarros Shikishima e Batto no lance superior, e bonecas e doces no inferior. No outro lado do piso de madeira, afastado um *ken* dos degraus, havia um balcão com suportes de espingardas e, sobre ele, armas e caixas esmaltadas contendo balas; as paredes eram cobertas de cortina como os antigos palcos de teatro; e um espelho estava pendurado ao lado do balcão. Uma casa que não mudou nada desde os velhos tempos, ainda com uma mulher de penteado clássico em estilo "folha de ginkgo".

— Mesmo que se saiba que é um jogo ultrapassado, mudar agora para um clube de *mahjong* não resolveria nada — disse ela. — Aquilo é uma moda passageira. Isto, pelo menos, é um negócio de longa tradição.

"Para começar, você devia mudar sua aparência. Trocar esse coque por um corte curto", foi o que tive vontade de dizer.

Originalmente, as casas de tiro ao alvo concentravam-se atrás do Teatro Parque, do Teatro Elétrico e do Teatro Asakusa, isto é, no primeiro e no segundo quarteirões do Rokku — a melhor localização —, onde tinham se estabelecido lado a lado; o segundo ponto mais popular é no lado oeste do Rokku, atrás do Cinema Tokyo e ao lado da Cooperativa Asakusa de Espetáculos; um outro local, embora mais pobre e simples, é junto ao muro dos fundos do Hanayashiki. Somando tudo ainda há quase quarenta outras casas. Nessas "ruas com ruídos de balas", Oharu surgiu vestida de traje ocidental. Tinha saído pelada do leito do segundo piso da casa da tia. As casas de tiro ao alvo foram o ponto de partida da sua vida em Asakusa.

Na época, ainda havia disputa de tiro ao alvo entre delinquentes radicados no local. As competições de tiro ao alvo estavam no auge. Não eram raros os fregueses que atiravam cem, 150 vezes seguidas, e era comum que houvesse quem não conseguisse adormecer sem escutar ruídos de balas. Um homem chamado Okawa, que tinha um braço deficiente, se enfiou numa cabana de tiro ao alvo Sakurada e não se retirava de modo algum. O dono dessa casa deu-lhe dinheiro e mandou que fosse viajar, e este partiu entusiasmado, dizendo que iria para Osaka e que se tornaria um ator de sucesso; porém, no dia seguinte estava na casa do lado, atirando. É um bom exemplo de quão forte era a atração por tiro ao alvo naquela época.

Hiko, o Canhoto, Ito de Cabelos Lavados e eu fomos numa noite dessas a uma casa de tiro ao alvo, conduzidos por Oharu.

Era para buscar informações sobre o clube Ema, onde, segundo soube, há entre seus membros que frequentam casas de tiro ao alvo várias artistas que pertencem à camada mais baixa da sua classe. Especialmente para mim, ela prometeu me apresentar à madame da Kirakutei, a qual teria muitos materiais úteis para meus romances.

A Kirakutei fica em frente aos camarins do Teatro Parque. Na entrada de serviço, alguns homens da cenografia estavam se refrescando. Atores pelados olhavam para nós da janela dos camarins.

Oharu nem tocou na espingarda e conversava com a mulher de penteado clássico sobre os tempos idos.

— Você era linda como uma boneca francesa! Mesmo agora me recordo de Oharu vestida de noiva. Que fim levou o vestido? Quando você vinha, não podiam iniciar a apresentação porque juntavam pessoas nas janelas dos camarins, não era? Vestidos ocidentais eram raros naquela época.

— Mais rara é a senhora que não mudou nada nos últimos dez anos.

— Ora, nem me conheceu dez anos atrás.

De acordo com o que Oharu me contou mais tarde, a madame da Kirakutei, logo ao nascer, foi dada a uma família do interior. O pai verdadeiro era um cantador de *naniwabushi*[82]. Ele morava nessa cabana de tiro ao alvo

---

82. Narrativa cantada originária de Osaka (Naniwa).

e frequentava o pequeno teatro cômico do parque onde se apresentava. Quando fez dezoito anos, ela veio visitar o pai e ficou ajudando no tiro ao alvo, e acabou permanecendo aqui.

Isso aconteceu há doze ou treze anos, mas mesmo agora ela não parece ter mais do que 22 ou 23 anos. Nesse meio-tempo, ela tomou conta da casa, reorganizando tudo, e se tornou proprietária; arranjou para seu pai uma mercearia e, além disso, chamou do interior os pais de criação para lhes dar toda a atenção.

Há seis ou sete anos que Oharu começou a frequentar as casas de tiro ao alvo. Comparando com aquela época, hoje mal consegue vender quatro ou cinco ienes de balas por dia, menos de um décimo do que se vendia.

— O tempo em que Haru-tchan brincava de noiva foi a era de ouro do nosso negócio.

Era compreensível o lamento da madame, pois justamente por ter sido num tempo de auge é que Oharu conseguiu apanhar Komada nessa casa de tiro.

O espelho e a nudez

59

É óbvio que quem trouxe Oharu para Tóquio foi um rufião que atuava em locais de veraneio; ele a entregou para uma cabeleireira, pensando em depositar sua posse temporariamente em um lugar seguro.

Sem que Oharu soubesse, ele vendeu para um da sua laia todos os "direitos", inclusive de posse dela e o lucro que teria em vendê-la. O comprador foi o homem que alugava o cômodo do piso superior da casa da "tia". Segundo a tia, Terasaka era um "pato" fácil de lidar.

A casa da tia funcionava como uma "casa de encontros" clandestina. Ela era alcoviteira.

Ou seja, com a ajuda da tia, Terasaka resolveu retirar do depósito a mercadoria que adquirira. No entender da mulher, ela usava o rapaz como seu subalterno. Mesmo que Oharu tenha conseguido fugir naquela noite, a tia tinha ido dormir na casa da parenta em Ueno. Era tudo tranquilo.

Deixar nua a moça era uma técnica habitual para impedir a fuga.

É claro que era mentira que Terasaka alugasse um cômodo naquela casa.

Uma pedra ornamental de *tokonoma*, além de uma penteadeira e um grande cabide vermelho para quimonos; logo que subiu ao segundo piso, a convite de Terasaka,

Oharu entendeu ser tudo mentira. Rasgou o papel do embrulho da tia; o conteúdo eram três coxins velhos.

— Pensando mais tarde, não entendo minha própria atitude; por que fui olhar meu corpo nu no espelho? — disse-me Oharu.

De qualquer modo, nesses cinco dias que passara nua, ela começou a amar Terasaka intensamente. Amando-o loucamente, tentava escapar de um segundo perigo, embora não tivesse clara consciência disso naquele tempo. No início, estava realmente tímida e assustada, mas no seu desespero foi ganhando uma atitude corajosa e se tornando uma bela criatura, como se tivesse passado por uma lavagem. Tudo isso deixava Terasaka confuso.

Em vez de ser vendida, ela fez com que o homem comprasse roupas ocidentais para ela. E, na qualidade de noiva de Terasaka, passou a frequentar casas de tiro ao alvo. Quando cruzava com antigas colegas auxiliares de cabeleireira, virava o rosto com um ar esnobe.

Para Terasaka e seus companheiros, frequentar uma casa de tiro ao alvo em suas idas e voltas ao parque fazia parte da boa educação. A casa Batto, em frente à Kinshatei, era o ninho deles. O atendimento era feito por um velho e seu filho, e mais tarde o irmão mais velho do idoso se juntou a eles; não havia mulher nessa casa, o que era uma raridade.

> PILHA DE 3 CARTEIRAS DE SHIKISHIMA — 25 *SEN* PARA QUEM DERRUBAR EM 4 TIROS
>
> PILHA DE 3 CARTEIRAS DE SHIKISHIMA — 18 *SEN* PARA QUEM DERRUBAR EM 3 TIROS

Shikishima sobre a fita de papel — 18 *sen* para quem derrubar em 3 tiros

Gato de cerâmica sobre Shikishima — 1 carteira de Shikishima e 18 *sen* para quem derrubar em 3 tiros

Pilha de 3 carteiras de Batto — 1 carteira de Asashi e 7 *sen* para quem derrubar em 3 tiros

Pilha de 4 carteiras de Batto — 20 *sen* para quem derrubar em 4 tiros

Boneca fina — 20 *sen* para quem derrubar em 3 tiros

Boneca média — 10 *sen* para quem derrubar em 5 tiros

Combinação de caracteres acertando 5 bolas — 18 *sen*

Atualmente há essas dez modalidades, mas creio que naquela época não era muito diferente.

Contudo, mesmo que haja dez modalidades, desde muito tempo os fregueses de Asakusa tentam acertar a pilha de três carteiras de Batto. É muito raro ver alguém atirando na pilha de três carteiras de Shikishima ou na modalidade de Shikishima sobre a fita de papel.

Portanto, é óbvio que um tipo como Terashima, de tiro certeiro, fosse especialista na pilha de três Battos, mas pagava apenas dois *sen* pelo "custo das balas". Deixavam que pagasse esse valor para que brincasse à vontade, pois se dessem cigarros de acordo com a tabela não dariam conta do prejuízo.

Por isso, embora com seriedade, atiravam só para se divertir com as técnicas de disparo, como Romper ao Meio, Percentagem, Torção e Caminho da Montanha.

Naquela época, entretanto, um garoto de quinze ou dezesseis anos frequentava todos os dias essa casa de Batto para atirar. Vinha à tarde para brincar cerca de uma hora, e à noite mais uma hora.

Certa tarde, ele mandou buscar sushi e saquê para o irmão do velho e ficou entretido ali; a noite avançou, mas ele não mostrava sinais de que iria para casa.

60

Na ponta do balcão, atrás da pilha de três carteiras de Batto, outras três carteiras são postas deitadas sobre seu lado maior, e duas caixas de fósforos são colocadas entre dois conjuntos. Em três tiros, a pessoa tem que derrubar todos os Battos, deixando somente os fósforos.

Na segunda partida, duas carteiras de Batto deitadas são postas no balcão, atrás dos Shikishimas. Teria que derrubar tudo com um único tiro.

Na terceira partida, seis carteiras de Batto são colocadas em pé, enviesadas, no balcão dos Shikishimas. Teria que derrubar tudo com três tiros.

Estas eram as "competições de cigarros" dessa noite. Eram a diversão dos fregueses que se reuniam ali, estimulados pela vaidade da "arte do tiro ao alvo", pela fama de que os cigarros empilhados pelo velho do Batto eram os mais difíceis de ser derrubados em todo o parque, e também porque ali não havia mulheres. Em geral, uma "competição de tiros" é organizada por um homem, que ganha trocados circulando por várias casas de tiro, tendo uma delas como patrocinadora; ele aluga um espaço, por exemplo, na Kappabashi, e uma vez por mês reúne os de mesmo gosto. Todavia, como nessa noite no Batto, pode acontecer que, depois de a casa fechar, comece uma competição entre os mais aficionados.

Quando acabou, era quase uma da manhã.

— O que há, rapaz?! Ficou só olhando até agora? Nós vamos fechar a casa. Volte amanhã.

— Sim — respondeu, mas com uma cara tristonha, e ele não saía do canto da cabana.

Oharu, que o observava, correu até o garoto, colocou a mão no ombro dele, e em seguida disse:

— Olha, volte comigo. Quer vir para minha casa?

— Sim.

A inesperada gentileza da bela garota de roupas ocidentais, com jeito de mulher adulta, fez o garoto corar.

— Está certo, não é? Se quiser, pode dormir lá mesmo.

Quando chegaram à pensão barata em Mukojima, ela começou a ajudar o garoto a vestir o *yukata* que ela lhe emprestara; quando o abraçou por trás com suavidade, suas mãos tocaram nos bolsos das calças dele.

— Ué, você é muito rico? Não é bom que uma criança ande com tanto dinheiro. Deixa que eu guardo para você. Pode ficar morando aqui o tempo que quiser.

— Além deste aqui, tenho mais. Hoje de manhã entreguei trinta ienes ao velhinho da casa de tiro para ele guardar para mim. O velhinho também disse que uma criança não deve andar com muito dinheiro, mas achei que ele poderia ficar desconfiado se eu entregasse tudo.

A carteira que o garoto entregou para Oharu continha cerca de 250 ienes.

Terasaka, que estava com a cara amarrada até aquele

momento, ficou com a boca escancarada, fitando o rosto de Oharu.

— Está vendo? — disse ela. — Acertei em cheio.

Isso ocorreu um mês depois que ela vira seu corpo refletido no espelho.

— Rapaz, onde conseguiu todo esse dinheiro? Cometeu algum crime... — começou Terasaka, mas Oharu o interrompeu, abafando a voz dele.

— Não seja tolo, você não é um policial. Vamos dormir sem nos preocupar. Já é tarde, mano.

Havia só um leito. Terasaka adormeceu em seguida.

O garoto roubara o dinheiro do cofre da casa de seu tio. Já havia algum tempo que ele escondia dois, três ienes todos os dias, e vinha para Asakusa.

Não era nada de mais. Havia sido seduzido pela estranha atração que emanava de Asakusa. A casa do tio ficava no sub-bairro Ogawa, em Kanda. Ele trabalhava ali como garoto de recados.

Depois de saber tudo isso, Oharu pousou suavemente a mão no pescoço do garoto e, enquanto dava leves batidas com as pontas dos dedos no queixo dele, perguntou:

— Ele tem cofre? É grande?

— O cofre da loja é pequeno. Mas sei onde ele guarda a chave.

— Olha, mano. Essa camisa esporte com calças brancas não é nada chique.

— Sempre estou assim para fazer os serviços de rua.

— Por isso mesmo amanhã vamos comprar uns quimonos ou umas roupas ocidentais com aquele dinheiro.

— Prefiro roupas ocidentais.

— Então, a partir de hoje você é nosso irmão. Tem que nos chamar por mano e mana em qualquer lugar, entendeu?

— Entendi.

— Ah, por falar nisso, amanhã, quando comprarmos suas roupas, quero que compre um vestido para mim.

Oharu tinha um ano a mais que o garoto.

61

Komada, que roubou um filhote de pastor alemão para Ochiyo, era esse garoto seis ou sete anos atrás.

Com a primeira soma de dinheiro, compraram apenas duas peças de roupas ocidentais e um toca-discos; com o restante, os três se divertiram. Quando foram à casa de tiro ao alvo para reaver o dinheiro, o velho disse:

— Já gastei tudo. Que coisa, rapaz! Você disse que tinha me dado.

Sem dinheiro, o garoto era apenas um transtorno para os dois.

— Não tem outro jeito. Volte para a casa do tio — disse Terasaka.

— Acabou o dinheiro, ficou sem graça. Vou voltar trazendo mais.

Ao ver a tristeza do garoto, que ficou profundamente ferido, Oharu o instruiu. Ele deveria usar esse dinheiro para comprá-la de Terasaka.

Desde então, passaram pela Turma da Faixa Vermelha, pela Turma da Faixa Preta e pela Gangue Escarlate. Nesses cinco ou seis anos, Komada andava, de um modo a outro, sempre grudado em Oharu, e assim atravessou o mundo de Asakusa. Mas, de acordo com Oharu, ela já não era mais a mesma, estava sem brio e ousadia. Tornara-se indolente.

Porém, mesmo agora Komada continua com um ar sonhador, seduzido pela atração de algo indefinido. Oharu se preocupava, desejando que ele pudesse recomeçar a viver com uma boa garota que tivesse o coração cheio de vitalidade. Ela pediu uma vez para Yumiko.

— Pensa que eu seria essa garota? Ou está dizendo para eu procurar uma garota desse tipo? — volveu Yumiko, como se golpeasse com as palavras.

Por falar nisso, meus leitores, a respeito de Yumiko, quando eu estava escrevendo esta parte, encontrei-a com uma aparência muito estranha. Sendo assim, esta narrativa também deve mudar de modo abrupto o rumo de sua navegação.

Comparei este romance a um navio, mas é, de fato, um barco — aquele barco a vapor de passageiros de um *sen* da Companhia de Navegação do Rio Sumida.

Tomei-o no cais de Hamacho com destino à ponte Azuma.

A vendedora de óleo de camélia da ilha Oshima fitou-me como se tivesse raiva de mim; suas pupilas quase se encostavam nas pálpebras superiores.

Ela vestia um quimono azul-marinho salpicado de branco, curto até a cintura e de mangas retas, avental roxo, caneleiras azul-marinho, botas de tecido soladas de borracha; tinha sobre o colo um grande volume de *furoshiki* preto de algodão, além de papel oleado, e ao lado, um largo chapéu de ripas de bambu trançadas. O cabelo era puxado para trás e preso, mas um pouco dos fios curtos pendia nas bochechas, e usava uma leve maquiagem no rosto queimado pelo sol; era, na verdade, uma flor do campo um tanto citadina. Seu aspecto não combinava em nada com um barco velho de passageiros. Sob a barra do quimono aparecia a saia de musselina de baixo.

O semblante severo da jovem desmanchou-se de repente em um riso que não conseguiu segurar.

— Quer levar um pote de óleo de camélia de Oshima para presentear a esposa?

Era Yumiko.

— Estava achando que a tinha visto em algum lugar, mas que surpresa — eu disse.

— Tenho também, senhor, produtos com raízes de corais ou de algas *konbu*, que deixam os cabelos brilhosos e fartos, e pó de bagaço de camélia para lavar os cabelos.

— Como sempre, divertindo-se muito.

— Eu que lhe pergunto: o que está fazendo num barco como este?

— Você foi raptada do *Kurenaimaru* para uma lancha a motor. Vou escrever a continuação, por isso estou conhecendo as paisagens do grande rio.

— Prometa não escrever sobre a vendedora de óleo.

— Por que você está disfarçada de vendedora de óleo?

— Estava procurando alguém.

— Você sempre anda procurando alguém, não é?

— Não é verdade. Preciso fazer alguma coisa para ganhar a vida.

— Encontrou tudo isso na casa que aluga roupas?

— Claro que não! Peguei emprestado de uma jovem vendedora de óleo.

— Mas quem é essa moça?

— A essa altura, ela deve estar em Asakusa assistindo aos jograis *manzai*. Se não for isso, sabe aqueles vendedores que costumam ficar na entrada dos artistas vendendo óleo? É aquilo que deu origem à expressão "vender óleo[83]".

O barco chegou à ponte Azuma. Yumiko pôs o chapéu de ripas de bambu trançadas.

— Agora ficou bem mais difícil me reconhecer, não é?

Quando se levantou, reparei que a parte traseira da barra do seu quimono curto estava repartida.

---

88 Significa gastar tempo jogando conversa fora.

Outras obras de Yasunari Kawabata
editadas pela Estação Liberdade

A casa das belas adormecidas (2004)
O país das neves (2004)
Mil tsurus (2006)
Kyoto (2006)
Contos da palma da mão (2008)
A dançarina de Izu (2008)
O som da montanha (2009)
O lago (2010)
O mestre de go (2011)

ESTE LIVRO FOI COMPOSTO EM GATINEAU 11
POR 15 E IMPRESSO SOBRE PAPEL OFF-SET 75 g/m²
NAS OFICINAS DA RETTEC ARTES GRÁFICAS E EDITORA,
SÃO PAULO — SP, EM ABRIL DE 2021